Este journal pertence a

ARLENE DINIZ
QUEREN ANE
MARIA S. ARAÚJO
THAÍS OLIVEIRA

Copyright © 2024 por Arlene Diniz, Queren Ane, Maria S. Araújo e Thaís Oliveira

Todos os direitos reservados e protegidos pela Lei 9.610, de 19/02/1998.

Os textos de referências bíblicas foram extraídos da *Nova Versão Transformadora* (NVT), da Tyndale House Foundation, salvo indicação específica.

É expressamente proibida a reprodução total ou parcial deste livro, por quaisquer meios (eletrônicos, mecânicos, fotográficos, gravação e outros), sem prévia autorização, por escrito, da editora.

A ilustração da capa e as ilustrações das princesas no miolo são de Ana Bizuti. Os demais recursos gráficos foram desenvolvidos pela equipe da Mundo Cristão com base no banco de imagens Freepik (Studiogstock, Upklyak, Sergey Kandakov, Ikaika e Juicy Fish).

Cip-Brasil. Catalogação na publicação
Sindicato Nacional dos Editores de Livros, RJ

J75

Journal da garota corajosa / Arlene Diniz ... [et al.]. - 1. ed. - São Paulo : Mundo Cristão, 2024.
    208 p.

    ISBN 978-65-5988-353-0

    1. Meninas cristãs - Literatura devocional. 2. Meninas cristãs - Vida religiosa. I. Diniz, Arlene.

24-92811
                        CDD: 248.82
                        CDU: 27-23-053.6

Gabriela Faray Ferreira Lopes - Bibliotecária - CRB-7/6643

Edição
Daniel Faria

Revisão
Ana Luiza Ferreira

Produção
Felipe Marques

Diagramação
Gabrielli Casseta

Colaboração
Guilherme Lorenzetti

Montagem de capa
Jonatas Belan

Publicado no Brasil com todos os direitos reservados por:

Editora Mundo Cristão
Rua Antônio Carlos Tacconi, 69
São Paulo, SP, Brasil
CEP 04810-020
Telefone: (11) 2127-4147
www.mundocristao.com.br

Categoria: Devocional
1ª edição: setembro de 2024

Sumário

Apresentação	7
Como usar seu journal	10
1. Corajosa para conhecer minha fé e viver por ela	17
2. Corajosa para ser quem Deus me criou para ser	39
3. Corajosa para proteger meu coração	57
4. Corajosa para abraçar meu propósito	79
Corajosa Board	101
5. Corajosa para gostar do que vejo no espelho	107
6. Corajosa para enfrentar os desafios de um mundo nada encantado	127
7. Corajosa para viver relacionamentos para a glória de Deus	147
8. Corajosa para perseverar na jornada chamada vida	171
Tratado de vida	190
Checklist da Corajosa	194
Pílulas de coragem	196
Agradecimentos	198
Sobre as autoras	200

Apresentação

"O que é uma garota corajosa? Eu até
tento ser, mas não consigo..."
"Eu sei que sou uma filha amada,
mas não me sinto assim..."
"Poxa, ninguém parece gostar de mim..."
"Como guardar meu coração? É tão difícil..."

Com frequência perguntas como essas pipocam em nossas redes sociais. Meninas dos quatro cantos do Brasil abrem o coração conosco, compartilhando dúvidas e anseios que muitas vezes lhes roubam o sono ou a paz. Por vezes, elas não têm com quem conversar ou não se sentem confortáveis em se abrir com suas mães e líderes.

A cada troca de mensagens em um "aconselhamento virtual improvisado", nosso coração queima um pouco mais. Afinal, já estivemos do outro lado da tela:

◊ Já acordamos para o dia de fotos na escola com uma espinha enorme no queixo.
◊ Já passamos horas diante do espelho nos sentindo as garotas mais estranhas do mundo.
◊ Já sentimos o coração estraçalhado em mil pedacinhos por garotos que não se importavam.
◊ Já tivemos dúvidas quanto a esperar em Deus.

◊ Já enfrentamos crises de identidade.
◊ Já nos questionamos se o Senhor tinha mesmo um propósito para nós.

Naqueles dias tão desafiadores da adolescência, fomos abençoadas pelo discipulado constante de nossas mães e de algumas líderes de nossas igrejas. Mas também fomos enriquecidas por blogs e sites cristãos em que irmãs e irmãos sérios dividiam conosco a Palavra e suas experiências como jovens cristãos.

À medida que crescemos e amadurecemos espiritualmente, o Senhor fez surgir um propósito em nosso coração: *discipular outras garotas cristãs*. Algumas de nós usaram as redes sociais e os blogs para isso, enquanto outras deram seus primeiros passos em suas igrejas locais.

Sem ainda nos conhecermos, começamos cada uma a compartilhar experiências e aprendizados com meninas que nos cercavam ou nos seguiam, até que encontramos na ficção cristã um caminho precioso para ministrar ao coração das garotas.

Em 2018, após algumas trocas na internet, nos encontramos pessoalmente pela primeira vez. Em uma fila na praça de alimentação da Bienal de São Paulo, enquanto esperávamos nossos hambúrgueres com fritas, constatamos que tínhamos um propósito em comum. Ali, despretensiosamente, enquanto a Thaís contava sobre um romance que ela havia escrito inspirada no conto clássico da Pequena Sereia, uma ideia nasceu: "E se escrevêssemos uma releitura cristã e moderna dos contos de fadas?".

Foi assim que *Corajosas* nasceu. Deus uniu nós quatro — quatro meninas tão diferentes, que vieram de berços humildes e travaram inúmeros desertos em sua caminhada, mas que sentiram o coração queimar ainda na adolescência pelo anseio de ajudar outras garotas a descobrirem quão prazeroso é caminhar com Jesus!

Sabemos que essa jornada não é fácil. Conhecemos os medos e as dúvidas. Sentimos na pele a dor gerada pelos desafios. Por isso, quando ouvimos a voz doce do Aba a nos chamar para ser uma só voz para gerações de meninas, dissemos: "Sim!", mesmo com as pernas tremendo e a voz falhando.

Ao tecer nossas histórias nos volumes 1 e 2 de *Corajosas*, nos dispusemos a compartilhar um pouco do que aprendemos com Cristo. E como tem sido prazeroso ver as meninas aprendendo ao lado de nossas princesas!

Agora, por meio deste journal, demos um passo ainda mais ousado.

Deixamos a ficção de lado por alguns meses e nos debruçamos sobre as lições centrais de *Corajosas*. Movidas pelas inquietações geradas pelo Espírito Santo em nós e por todas as perguntas que enchem nossas dms todo mês, demos vida a este journal, um companheiro fiel que conduzirá você por uma jornada incrível.

Nas páginas a seguir, queremos convidá-la a refletir sobre como você pode, à luz das Escrituras, ser uma garota forte e corajosa.

Você descobrirá como encontrar coragem para:

- Conhecer sua fé e viver por ela
- Ser quem Deus a criou para ser
- Proteger seu coração
- Abraçar seu propósito
- Gostar do que vê no espelho
- Viver bons relacionamentos
- Enfrentar os desafios de um mundo nada encantado
- Perseverar nessa longa jornada chamada vida

Este não é um guia com respostas prontas, mas um convite para reflexão e aprendizagem. É como sentar à mesa com uma amiga em uma cafeteria. O café soltando fumacinha, as canetas coloridas escapando do estojo, caderninhos abertos e uma conversa que faz o coração ficar quentinho. Se você assim permitir, pretendemos, com o auxílio do Espírito Santo (porque sem ele não somos nada!), abrir o nosso coração e compartilhar com o seu tudo o que o Aba vem nos ensinando e gerando em nós na última década. (Ei, não somos tão velhas assim, tá? Mas você pode nos chamar de tias sem problema, hehe.)

Oramos para que ao folhear este livro você possa sentir os braços acolhedores do Pai envolvendo você, para que aprenda com ele a caminhar como a filha amada que ele a criou para ser.

Com amor,

As autoras

Como usar seu journal

Ao longo de cada um dos oito contos que formam os volumes 1 e 2 de *Corajosas*, você pôde aprender inúmeras lições preciosas com as aventuras e desventuras de nossas princesas nada encantadas. Identificar essas lições foi como caminhar pela areia macia e deixar que a água fresca do mar molhasse seus pés em uma manhã de verão. Colocá-las em prática foi como dar alguns passos e permitir que as ondas batessem contra suas pernas.

Ficar no raso pode até ser divertido quando somos pequenas. As ondas que quebravam contra o nosso rosto nos arrancavam gargalhadas, é claro, mas também podiam nos arrastar num piscar de olhos. Ainda conseguimos ouvir nossas mães nos chamando para não nos afastar e sentimos suas mãos envolvendo as nossas para nos manter seguras.

Assim como ficar no raso podia ser perigoso em nossa infância, deixar que as águas molhem apenas os nossos pés quando o assunto é a nossa vida espiritual também é um risco.

Deus nos chama para mergulhar em águas mais profundas. Quanto mais nossos pés se afastarem da areia, mais conheceremos o Deus que nos criou. As águas profundas trazem conhecimento, intimidade, vida.

Por meio deste journal, encorajaremos você a deixar a margem, apesar dos medos e inseguranças, e mergulhar em águas profundas. A jornada a que daremos início nas próximas páginas ajudarão você a se posicionar de forma forte e corajosa diante dos vários desafios que fazem parte da vida de toda garota cristã, para que você consiga ver o mundo como uma filha do Rei dos reis. E aí? Topa o desafio?

Para auxiliar você a aproveitar ao máximo esta jornada, separamos algumas dicas:

- Que tal separar um tempo diário para a sua leitura? Pode ser depois de terminar a lição de casa, o devocional ou em algum tempo livre.
- Faça a leitura em um lugar tranquilo. Você pode colocar uma play-list calminha para tocar, acender uma velinha aromática (por aqui, somos apaixonadas! rs) e, inspirada na Tati, preparar uma bebida gostosa — um café gelado, um chazinho ou um suco.
- Separe canetas coloridas, marca-textos e itens para colagem — muuuitos exercícios e desafios incríveis a esperam!
- Antes de dar início à leitura, ore. Convide o Espírito Santo para fazer esta leitura com você e tornar o seu coração um solo fértil, a fim de que cada uma das lições aqui compartilhadas dê fruto no devido tempo.
- Não tenha medo de riscar este livro. O journal foi feito com muito carinho para você, e gostaríamos muito que o deixasse do seu jeitinho. Há espaço não só para fazer anotações e desafios, mas também para personalizar. Abuse da criatividade!
- Não guarde apenas para você aquilo que aprendeu. Compartilhe com sua família e suas amigas aquilo que o Espírito Santo fizer em sua vida. Se quiser, compartilhe suas impressões de leitura nas redes sociais e não esqueça de nos marcar (@corajosasolivro). Amaremos acompanhar de pertinho o que Deus vai gerar em seu coração!

Pronta para dar início à jornada?

sua foto aqui

idade: ....

apelido: ....

natural de: ....

coisas engraçadas sobre mim:

1.

2.

3.

4.

meu versículo favorito:

uma palavra que me define:

....

3 coisas que eu amo:

....

....

....

Este journal foi elaborado com todo o carinho para fazer parte de sua jornada como uma garota cristã forte e corajosa. Como você é única, que tal compartilhar com este journal um pouquinho da sua identidade?

Use este espaço para fazer uma colagem. Faça uso de sua criatividade e represente aqui um pouco da garota incrível que você é!

1

Corajosa para conhecer minha fé e viver por ela

por Arlene Diniz

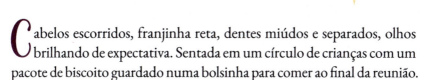

Vocês são salvos pela graça, por meio da fé. Isso não vem de vocês; é uma dádiva de Deus.

Efésios 2.8

Cabelos escorridos, franjinha reta, dentes miúdos e separados, olhos brilhando de expectativa. Sentada em um círculo de crianças com um pacote de biscoito guardado numa bolsinha para comer ao final da reunião.

Essa é uma das minhas memórias mais antigas na igreja.

Eu contava os dias para completar cinco anos a fim de poder participar das reuniões da união de crianças. Lembro da animada tia Meire buscando outras crianças e eu com sua picape no final do bairro para participarmos da escola bíblica dominical. A mente guarda detalhes vívidos dos congressos infantis, dos cultos nos lares, das cantatas de Natal, dos almoços, das gincanas... Ah, a infância na igreja! Como meu coração pulsava.

Então, eu completei doze anos. E treze. E, enfim, catorze. E eu não saberia dizer o exato momento em que tudo isso me escapou. Mas aconteceu. O chão firme da fé começou a ficar mole como gelatina. A convicção bonita deu lugar à vontade de viver o que a galera da minha idade estava vivendo. O brilho nos olhos, o temor ao Senhor, a vontade de conhecê-lo e agradá-lo. *Puft!* Tudo desapareceu como pó mágico.

Era como se uma nuvem cobrisse meus olhos para o que vinha de Deus, ao mesmo tempo que o mundo parecia piscar em luzes neon à minha frente.

Você, Corajosa, que cresceu indo à igreja e ao chegar à adolescência viu sua vontade de seguir o evangelho derreter como uma bola de sorvete em dia de verão: eu te entendo. Ô se entendo.

Não era como se eu detestasse frequentar os cultos. Eu até gostava de participar — e minha mãe se assegurava de me obrigar caso surgisse qualquer menção a *não gostar* —, me empolgava com as viagens do grupo de adolescentes, gostava de encontrar minhas amigas nas reuniões... mas da porta da igreja para fora: O quê? Jesus? Ah, sim, eu acredito nele. O que muda na minha vida por causa disso? Bem, é que... há... hum... sei lá.

É normal que na adolescência nossa cabeça comece a mudar. Os hormônios chegam como uma bola de boliche, derrubando os pinos da nossa mente e fazendo tudo meio que "sair" dos eixos. Os gostos, as preferências e a forma de enxergar as coisas já não são os mesmos, e surge o desejo de se sentir parte de um grupo e se reconhecer entre os demais da mesma idade.

É nesse momento que as amigas começam a dizer que mostrar as recém-formadas curvas é o que faz os garotos olharem para uma menina. O guarda-roupa começa a mudar. Você passa a gastar tempo pensando em maneiras de chamar atenção dos meninos, treinando as dancinhas do TikTok, assistindo a uma série atrás da outra (às vezes com conteúdo não adequado para sua idade) ou acompanhando todos os vídeos da sua banda ou blogueira preferida. Fala sério! Tudo isso parece muito mais interessante do que abrir um livro de capa preta e ler umas palavras cheias de poeira, certo?

( ) Claro que não! A Bíblia é a Palavra de Deus e eu a amo!
( ) Bem... talvez, hum...

É bem provável que se essa pergunta tivesse sido feita à Arlene de quinze anos, eu assinalaria a primeira opção. Porque eu sabia que aquele livro de páginas amareladas que eu só abria aos domingos era a Palavra de Deus. Eu só não conseguia enxergar o que ela teria a ver com a vida de uma adolescente do século 21.

Eu ainda não tinha noção de que a Palavra é *viva*. O lugar que o Criador escolheu para revelar sua vontade à humanidade. O lugar em que, do começo ao fim, somos apresentados à maior e melhor história que existe: a história de um povo que precisa desesperadamente de salvação e é encontrado por um Rei que abre mão de sua glória para socorrer esse povo.

E, Corajosa, caso ainda não saiba disso, eu espero que você descubra ao longo deste livro que você faz parte desse povo!

Salva de quê?

Imagine comigo. É sábado de manhã. O dia está ensolarado, pássaros cortam o céu com acrobacias admiráveis e você está se refrescando nas águas correntes e geladas de uma cachoeira junto com sua família. Decidida a tirar umas fotos com seu novo celular à prova d'água numa pedra mais adiante, você se afasta um pouco dos outros. Porém, quando vai descer da rocha, por um descuido deixa o aparelho cair na água. Puxa vida! É o celular que seu pai acabou de comprar! Você pula na água para pegá-lo e, de repente, a correnteza a leva rapidamente para longe. Você ergue os braços, tenta gritar, mas a força da água é tanta que vai arrastando você como se fosse uma folha de árvore.

Seus braços doem de tanto se debater. Sua garganta está ardendo pelos goles gelados que ingeriu enquanto gritava a plenos pulmões. Então, quando sua esperança está quase ruindo, uma mão firme segura seu braço e a puxa para longe da correnteza. Seu coração se enche de alívio.

Ufa. Fui salva.

Qualquer semelhança com a nossa vida espiritual não é mera coincidência. Nós estávamos em sérios apuros, mas Jesus entrou na água, nos segurou pelo braço e nos puxou para longe da correnteza. Ele nos salvou.

Se você cresceu indo à igreja, deve ter escutado isso centenas de vezes: você foi salva! Mas você saberia dizer... salva de quê?

Uma imagem manchada

"E Deus viu que isso era bom."

Essa expressão (ou variantes dela) são repetidas sete vezes ao longo do primeiro capítulo da Bíblia. Em Gênesis 1, enquanto acompanhamos o relato da Criação, vemos Deus, satisfeito, aprovar tudo o que fazia. Eu o imagino com olhos resplandecentes e um largo sorriso no rosto ao ver seu bom e perfeito trabalho concluído.

Em meio a tantas coisas boas que ele já havia feito, em Gênesis 1.26 o Senhor decidiu criar a humanidade à sua imagem e semelhança. É o que a teologia chama de *imago Dei*, ou imagem de Deus. O ser humano sem defeitos, vivendo em plena alegria e comunhão com Deus no jardim do Éden.

Lá, não havia nada de ruim. Um rio corria tranquilo, os pássaros cantavam em harmonia, as árvores viviam apinhadas de deliciosos frutos. E já imaginou poder sair para caminhar e bater um papo *pessoalmente* com Deus todos os dias? Adão e Eva tinham esse baita privilégio!

Os dois tinham também a responsabilidade de cuidar do jardim e cultivá-lo, e eram livres para comer de todas as árvores, exceto uma: a árvore do conhecimento do bem e do mal (Gênesis 2.15-17). Deus alertou Adão: *Se comer desse fruto, com certeza morrerá*. E, como você provavelmente já sabe, foi o que Adão e Eva fizeram.

> **É isso que o pecado faz: ele nos afasta do Senhor!**

A serpente jogou seu veneno plantando dúvida na mulher. *Foi isso mesmo que Deus disse? Ah, não leve isso tão a sério. Vocês não vão morrer... na verdade, serão como Deus e conhecerão o bem e o mal!* A imaginação de Eva engatou a todo vapor. O fruto parecia tão agradável! E, nossa, como ele era bonito. Além do mais, ter conhecimento seria ótimo, não?

Então... *nhac*. Eva comeu. Adão também. E, no segundo seguinte, tomaram consciência do seu pecado e se esconderam de Deus. Porque é isso que o pecado faz: *ele nos afasta do Senhor*.

O mundo perfeito ruiu. A *imago Dei* havia sido manchada. O ser humano agora conhecia o pecado. E não havia nada que ele pudesse fazer para reverter isso.

> Quando Adão pecou, o pecado entrou no mundo, e com ele a morte, que se estendeu a todos, porque todos pecaram.
>
> **Romanos 5.12**

Todo aquele que nasceu depois daquele fatídico dia — ou seja, toda a humanidade — já veio com um "defeito de fábrica" embutido. O "gene" do pecado.

Exceto uma pessoa.

A esperança prometida ✦

Violência. Assassinato. Roubo. Pedofilia. Holocausto. Aborto. Guerras. Adultério. Terrorismo.

Pecado.

Uma mentirinha "sem maldade". Inveja da garota que sempre anda com os melhores celulares e roupas de marca. Gritar com a mãe. Comer tanto doce até dar dor de barriga. Reclamar do tempo, do tênis, da escola, da família.

Pecado também.

Dos grandes e terríveis atos que chocam qualquer pessoa, até os mais moralmente aceitáveis, "que todo mundo faz": *pecado é pecado.*

Os efeitos do pecado tocam tudo, sujam tudo. E sua principal consequência é a morte — não apenas a física, mas, principalmente, a espiritual. Afinal, ao comer do fruto proibido, Adão e Eva se separaram de Deus, que é a Vida. Eles morreram espiritualmente.

Muito bem. Já entendemos que o pecado nos afasta de Deus e traz sérias consequências. Mas você saberia definir exatamente o que é pecado?

Marque as opções que você considera corretas:

( ) Desobedecer a Deus
( ) Desviar-se da vontade de Deus
( ) Rejeitar/ignorar a Deus rebelando-se contra ele
( ) Errar o alvo, isto é, não ser ou fazer o que Deus requer de nós em sua lei
( ) Ofender a santidade de Deus
( ) Todas as opções acima

Talvez você não tenha tido muitas dificuldades para perceber que todas as opções estão corretas. Sugiro que leia a lista acima mais uma vez e reflita: Se todos somos pecadores desde Adão e a Bíblia diz que o salário do pecado é a morte (Romanos 6.23), isso significa que todo ser humano se encontra numa condição um tanto complicada, certo?

Deus sabia disso. Foi por esse motivo que, antes que o homem pisasse na bola, o Criador já tinha determinado uma saída para esse problemão. E a promessa dessa solução está registrada lá em Gênesis 3.15, quando Deus diz à serpente:

> Farei que haja inimizade entre você e a mulher,
>   e entre a sua descendência e o descendente dela.
> Ele lhe ferirá a cabeça,
>   e você lhe ferirá o calcanhar.

Nesse texto, vemos que Deus introduz a promessa de salvação para a humanidade quando o primeiro pecado ainda estava "fresco", ou seja, quando havia acabado de ser cometido.

Aqui temos o que os teólogos chamam de "protoevangelho" — o primeiro anúncio do evangelho! O descendente da mulher (referência a Jesus) viria para ferir a cabeça da serpente — que é Satanás.

Diante do pecado, Deus fez brilhar a luz da esperança. Não havia nada que a humanidade pudesse fazer para reverter a situação, porém nem tudo estava perdido. Deus podia. E fez. No tempo determinado pelo Pai, Cristo veio para nos tirar dos apuros em que nos metemos.

Acesse o QR code ao lado e escute a música "Proto Evangelho", de Marco Telles, que fala um pouquinho sobre o que vimos até aqui.

"Me agasalhou a esperança
Ele disse que o Menino Deus virá"

Pães assados e dívidas eternas

Durante um tempo, enquanto eu estava no Ensino Fundamental II, uma senhora ia à escola todos os dias na hora do recreio para vender lanches numa espécie de cantina improvisada. Se eu fechar os olhos e inspirar um pouco, ainda posso sentir o cheiro daquele pão assado recheado com queijo e presunto que parecia ter vindo do céu. E, é claro, eu queria garantir que meu estômago se enchesse com aquela delícia todos os dias que pudesse.

O problema é que eu nem sempre tinha dinheiro. Mas a tia Jane era gente boa e me deixava pegar "fiado" para pagar depois. Então eu fui pegando um salgado aqui, outro ali... O que sei é que em dado momento, com doze anos de idade, eu me vi endividada!

Posterguei ao máximo que pude para contar a situação a meus pais. Arrastei o caso até o último milésimo de segundo. Mas, por fim, tive que pedir misericórdia. Precisava que alguém pagasse a conta no meu lugar. Eu não tinha a mínima condição para isso.

> Com doze anos de idade, eu me vi endividada!

Por causa do pecado, todos nós temos uma dívida eterna com Deus, dívida essa que só pode ser paga entregando a vida. O salário do pecado é a morte, lembra? Deus é misericordioso, mas também é justo. Um Deus justo e santo não pode conviver com o pecado. Deus se ira contra o pecado (Gálatas 3.10), e sua justiça exige que o pecado cometido contra sua santidade seja castigado.

Esta, portanto, é a nossa situação: pecadores, com uma lista de dívida chegando lá no pé, sem ter como pagarmos a conta e com o destino já traçado — condenação eterna.

Para nosso alívio, o Senhor Deus entregou seu Filho Jesus em nosso lugar. Jesus foi a única pessoa a pisar nesta terra sem nunca ter cometido um errinho sequer, e é por isso que somente ele e mais ninguém pôde nos salvar.

> Antigamente vocês estavam espiritualmente mortos por causa dos seus pecados [...]. Mas agora Deus os ressuscitou junto com Cristo. Deus perdoou todos os nossos pecados e anulou a conta da nossa dívida, com os seus

> regulamentos que nós éramos obrigados a obedecer. Ele acabou com essa conta, pregando-a na cruz.
>
> **Colossenses 2.13-14 (NTLH)**

Jesus é puro e santo e escolheu, como Cordeiro sem mancha ou defeito, receber a ira de Deus contra o pecado em nosso lugar. Ele suportou tudo sobre a própria pele e livrou a todos nós. Cristo pegou a nossa lista de dívidas e, em um vermelho vivo — seu próprio sangue —, escreveu um enorme "pago" sobre ela. Depois disso, quando Deus olha para nós que entregamos nossa vida a ele, é como se nos visse através dessa lente perfeita chamada Jesus.

Eu estava em apuros por causa da minha dívida com a tia da cantina. Cheguei com os olhos baixos, voz condoída, e contei a situação a meu pai. Ele não aprovou meu comportamento, é claro. Ele me advertiu de nunca mais fazer aquilo. Porém, no final, me estendeu as notas necessárias e assumiu a dívida em meu lugar.

E como eu fiquei aliviada por causa disso.

Voltando à pergunta do início do capítulo, escreva aqui com suas palavras: Somos salvas de quê?
(Se precisar, pode dar uma olhadinha nas seguintes passagens bíblicas: Atos 16.30-31; Romanos 6.23; 10.9; Efésios 2.8-9; Apocalipse 20.13-15.)

....
....
....
....
....
....

A verdadeira liberdade

O sacrifício de Cristo restaura nosso relacionamento com Deus, reconciliando-nos com ele. Mas como essa reconciliação é feita? Por meio da fé.

> Vocês são salvos pela graça, por meio da fé. Isso não vem de vocês; é uma dádiva de Deus. Não é uma recompensa pela prática de boas obras, para que ninguém venha a se orgulhar.
>
> **Efésios 2.8-9**

E a fé deve vir sempre acompanhada do arrependimento. Sem ele, é impossível voltar-se para o Senhor.

> Agora, arrependam-se e voltem-se para Deus, para que seus pecados sejam apagados.
>
> **Atos 3.19**

Duas pequenas grandes coisas. *Fé e arrependimento.* Você só precisa delas! Não é incrível? Jesus fez todo o trabalho por nós! Quando cremos em seu sacrifício e lhe entregamos nossa vida, Cristo não só nos salva do pecado e nos garante vida eterna, mas também nos livra do domínio do pecado (Romanos 6.14). Passamos a viver uma vida de fato LIVRE!

As pessoas costumam dizer por aí que os crentes não podem fazer nada, mas a grande verdade é que escolher não fazer coisas que desagradam a Deus e que acabam nos prejudicando não é desvantagem alguma. A verdadeira liberdade é a capacidade de dizer *não*. Não ao pecado, não àquilo que nos faz mal, não àquilo que nos afasta de Deus. E essa verdadeira

> A verdadeira liberdade é a capacidade de dizer não. Não ao pecado, não àquilo que nos faz mal, não àquilo que nos afasta de Deus.

liberdade é algo que só Cristo pode gerar em nós, quando nos arrependemos, cremos em seu sacrifício e passamos a viver para ele de todo o coração.

> Portanto, se o Filho os libertar, vocês serão livres de fato.
>
> **João 8.36**

Lavando a louça do almoço ou se divertindo na Disney

Em "Cores da liberdade", conto inspirado na Rapunzel em *Corajosas 2*, vemos que Rachel esperava ansiosa pelo dia em que sua vida teria início, em que ela de fato seria livre para fazer todas as coisas empolgantes que tinha vontade de fazer.

Você já se sentiu assim? Como se estivesse presa a uma torre de limitações? As coisas que Rachel desejava não eram ruins. Mas, no anseio por vivê-las, ela acabou se esquecendo do mais importante: *Jesus era quem a fazia de fato livre.*

Andando em um balão nas alturas.

Trancada em seu quarto pintando um quadro.

Viajando ao redor do mundo.

Copiando uma infinidade de exercícios do quadro da escola.

Em qualquer situação, por mais emocionante ou corriqueira que seja, a verdadeira satisfação só vem de um coração cheio da presença de Jesus. Quem nunca ouviu sobre um artista milionário, que tem à sua disposição jatinhos para ir a qualquer lugar do mundo e dinheiro para fazer o que bem entender, mas que vive afogado em vícios e péssimas escolhas?

Nosso querido José Eugênio reflete um pouco sobre isso. Ele vivia uma vida de pecado e "liberdade" sem limites. Mas um dia ele entendeu o seguinte:

As coisas deste mundo só prometem, mas nunca podem cumprir aquilo pelo qual toda alma anseia: viver para o Deus que a criou. Só em Jesus encontramos verdadeira satisfação. E ele está conosco sempre. Eu entendi que viver meu propósito, independentemente do lugar ou da situação, é o que me faz feliz de verdade. ("Cores da liberdade", *Corajosas 2*, p. 314-315)

José revela a Rachel que seu propósito é aquele registrado em 1Coríntios 10.31: "Portanto, quer vocês comam, quer bebam, quer façam qualquer outra coisa, façam tudo para a glória de Deus". *Esse é o chamado de todo cristão.* Glorificar a Deus em cada detalhe de nossa vida, quer estejamos lavando a louça do almoço, quer estejamos passeando numa montanha-russa na Disney.

Durante algum tempo, um ponto de interrogação brotou sobre a minha cabeça enquanto pensava sobre o que significava "fazer para a glória de Deus". E descobri que as próprias Escrituras respondem isso para nós.

- ◊ Como eu poderia glorificá-lo enquanto fazia meus deveres de casa? (Leia Colossenses 3.23.)
- ◊ Como eu poderia glorificá-lo enquanto assistia a um filme? (Leia Filipenses 4.8.)
- ◊ Como eu poderia glorificá-lo enquanto me negava ir a um barzinho com minhas amigas? (Leia 1Coríntios 6.12.)

O caminho para viver para a glória de Deus é amá-lo (Mateus 22.37), confiar nele (Romanos 4.20), ser grato a ele (Salmos 50.23) e obedecer-lhe (Mateus 5.16). Quando fazemos essas coisas, manifestamos a glória de Deus.

O senso de liberdade e satisfação que Deus oferece só pode ser encontrado nele e quando vivemos para ele por um motivo: Ele nos criou. Ele conhece como nossa alma e coração funcionam. E ele sabe que nada neste mundo é capaz de nos preencher a não ser ele próprio. Fomos criados assim.

> No coração do homem existe um vazio do tamanho de Deus.
>
> **Blaise Pascal**

Antes de entender o evangelho e se entregar a Jesus, José vivia preso a muitos pecados e a uma falsa ideia de liberdade. Já Rachel vivia presa às limitações impostas por sua mãe, que no intuito de protegê-la cometia exageros que sufocavam a garota. Você se sente hoje presa a algum pecado? Ou a alguma limitação que parece impedir sua vida de "decolar"? Sente que não consegue se aproximar de Deus em razão de alguma amarra? Examine seu coração agora e liste tudo que você lembrar aqui embaixo (pode ser sincera, viu?):

Agora leia os versículos abaixo e anote na coluna ao lado o que a Palavra nos diz a respeito dos pecados que nos prendem:

Texto bíblico	O que a Bíblia diz
1João 1.9	
João 8.36	
João 8.31-32	
Atos 3.19	
Romanos 6.14	
Romanos 8.1-2	

Pronto? Analise sua lista de coisas que a aprisionam e a afastam de Deus hoje, e depois observe a lista do que a faz verdadeiramente livre. Qual é a sua conclusão?

O agora conta para sempre

Quando entendemos que só em Cristo há liberdade, nossa vida ganha um sentido eterno: o sentido de viver para o Deus que a criou! Ao nos rendermos a Cristo, ele nos livra do domínio do pecado e, livres, o pecado passa a ser um acidente em nossa vida. Isto é, o pecado pode e certamente vai acontecer, mas não vamos mais *viver* nele.

Por ainda estarmos neste mundo, viveremos em constante luta contra o pecado. E precisamos nos encher do Espírito para que não percamos a batalha. Um dia, porém, não precisaremos mais lutar contra os pensamentos impuros, a vontade de desobedecer e fazer o que é desagradável ao Senhor. Nesse dia, a eternidade não será mais um pensamento distante e sim uma realidade palpável.

> Esse é o tipo de decisão que, tomada agora, vai impactar todo o restante dos seus dias e determinar como você vai viver.

Certa vez, eu estava assistindo à aula de história no primeiro ano do Ensino Médio quando o professor soltou essa: "O céu deve ser tão chato! Todo mundo sentadinho cantando hinos. Agora imaginem o inferno? Churrasco e samba o tempo todo!".

A turma caiu na gargalhada. Eu, como você pode perceber, nunca esqueci aquela fala, que retrata tanto do que as pessoas costumam pensar a respeito do céu. Até eu, sendo cristã, já tive essa ideia de que o paraíso seria tão somente um lugar calmo, com todos vestidos de branco e músicas clássicas tocando ao fundo.

Mas será que é isso o que a Bíblia diz? O que a Palavra de Deus fala sobre como será a eternidade?

- No céu há uma herança aguardando por nós que jamais perecerá (1Pedro 1.4).
- Teremos eterna salvação, alegria e paz (1Pedro 1.9; Apocalipse 7.16-17).
- Poderemos ver, amar e servir a Deus (Apocalipse 4—5; 7.15; 22.4).

Corajosa para conhecer minha fé e viver por ela **33**

- ❖ Louvaremos a Deus na companhia dos anjos (Apocalipse 4—5).
- ❖ Receberemos um novo corpo celestial que será imperecível, puro e repleto de poder (1Coríntios 15.35-58).
- ❖ O inferno, a morte e o diabo não poderão nos atingir, nem enfermidade, sofrimento, fome e sede (1Coríntios 15.55-57; Apocalipse 21.1-4).

Sim, o céu será um lugar perfeito! Em 1Coríntios 2.9, Paulo diz que olho nenhum viu e mente nenhuma imaginou o que Deus tem preparado para aqueles que o amam. Ou seja, não dá para descrever a maravilha que será o céu! É tão longe da nossa compreensão que a Bíblia recorre a palavras que descrevem o que há de mais valioso neste mundo para descrever o céu: ruas de ouro, pedras preciosas, portões de pérolas... e o próprio Deus sendo a sua luz (Apocalipse 21—22).

Apesar de a Palavra não dar maiores detalhes sobre como será nossa vida na eternidade, ela nos dá o suficiente para sabermos quão incrível será. Eu não sei os detalhes, mas sei que vai ser bom, pois o meu Deus vai estar lá.

Para viver o agora em Cristo, é preciso ter a eternidade em mente. É preciso saber que ela chegará. Pensar na vida após a morte pode parecer um pouco esquisito. Principalmente se você for jovem. Sua vida está apenas começando, não é mesmo? Mas esse é o tipo de decisão que, tomada agora, vai impactar todo o restante dos seus dias e determinar como você vai viver.

Se eu sei que viverei para a eternidade, vou tomar decisões que estejam de acordo com isso. A Bíblia diz que somos como o sopro. Nossa vida não nos pertence, não decidimos o dia da nossa partida. Mas podemos decidir como viveremos o agora.

O agora realmente conta para sempre.

> Se nossa esperança em Cristo vale apenas para esta vida, somos os mais dignos de pena em todo o mundo.
>
> **1Coríntios 15.19**

Em "Cores da liberdade", Poliana tinha apenas onze anos de idade quando entendeu isso. Ela enfrentou a maior batalha de sua vida: uma leucemia que a levou à metástase. Mesmo sendo tão nova, conseguiu enxergar a beleza de viver para Cristo e não ter medo do que viria depois, pois a alegria eterna com ele já estava garantida.

> Estou com saudade de casa, Rachel. Mamãe disse que lá não haverá mais morte, nem tristeza, nem choro, nem dor. Eu acredito nisso. ("Cores da liberdade", *Corajosas 2*, p. 333)

Essa é a nossa promessa: no céu não haverá mais tristeza nem sofrimento, porque o pecado não entra lá. É um lugar de grande alegria, sem morte nem medo.

Neste nosso mundo teremos aflições e sofrimentos. Viveremos situações ruins, e não apenas porque pecamos, mas também por consequência do pecado de outros. Isso por vezes nos fará perguntar: Por que isso está acontecendo comigo ou com minha família?

Como Poliana, que se foi tão cedo. Como Rachel, que passou por uma doença grave duas vezes. *Provações e dificuldades nos alcançam não porque Deus é mau, mas porque ele nos afia por meio delas.* Molda nosso caráter. Nos aproxima dele. Nos leva a confiar em suas promessas. A provar que, embora as circunstâncias não sejam boas, ele sempre é.

> [Jesus disse:] "Eu lhes falei tudo isso para que tenham paz em mim. Aqui no mundo vocês terão aflições, mas animem-se, pois eu venci o mundo".
> **João 16.33**

Para aqueles que não entregarem o coração a Cristo, não temos boas notícias. Eles serão julgados por suas ações ao longo da vida. Sem a cobertura do sangue do Cordeiro, serão expostos à justa ira de Deus, condenados e "lançados no lago de fogo", a segunda morte (Apocalipse 20.13-15). Ou seja, no inferno não haverá música, bebida e alegria como se fosse um grande churrasco de família. A Bíblia nos adverte de que o lago de fogo e enxofre será um terrível destino. Um lugar onde "os vermes nunca morrem e o fogo nunca se apaga" (Marcos 9.43-48).

Brilho nos olhos e convicção no coração

No comecinho deste capítulo, contei que na adolescência eu não conseguia entender o que a Bíblia tinha a ver com a vida de uma adolescente no século 21. Isso até eu completar dezesseis anos e tudo virar de cabeça para baixo.

Como um sussurro suave e constante, o Senhor me encontrou em meu quarto. Em meio ao verão de 2011, passando horas e mais horas das férias no computador, deparei com uma imagem na internet que dizia: "Por que você quer viver num aquário quando há um mar à sua frente?".

A partir dali, teve início uma jornada de conhecimento sobre a minha fé. Comecei a ler blogs e livros que me ensinavam sobre o que era viver para Deus. Entendi o valor do sacrifício de Cristo. Compreendi que a salvação era real e era para mim *agora*, não só para quando eu completasse cinquenta anos.

Aos poucos, fui saindo do aquário da religiosidade e mergulhando no mar do amor de Deus. O brilho nos olhos voltou. A convicção foi cravada no coração.

E tudo que fiz adiante foi impactado por isso.

Minha vida mudou para sempre.

Acesse o QR code ao lado para assistir ao emocionante vídeo "Falling Plates" [Pratos caindo], que resume muito bem o plano da salvação.

Agora você pode se perguntar: Jesus morreu por mim, entregou sua vida naquela cruz, me reconciliou com Deus, me garantiu morada eterna

O que eu poderia dar em troca de mais valioso a não ser a minha própria vida?

Se ao ler este texto você entendeu o sacrifício de amor de Jesus por você e gostaria de entregar sua vida a ele, faça comigo a seguinte oração:

> Senhor Deus, eu creio que o Senhor entregou seu Filho naquela cruz por mim. Reconheço que sou pecadora e peço perdão pelas minhas falhas. Que o sangue de Jesus cubra a minha vida, me purificando de todo pecado e de toda injustiça. Eu acredito no seu amor incondicional por mim e quero viver confiando nesse amor. Recebo Jesus como meu único Senhor e Salvador. Entrego a ele minha vida, meus sonhos, meus anseios, meus dias. Ensine-me a partir de agora a viver para sua glória e alegrá-lo com a minha vida. Em nome de Jesus, amém.

2

Corajosa para ser quem Deus me criou para ser

por Thaís Oliveira

> Eu serei seu Pai, e vocês serão meus filhos e minhas filhas, diz o Senhor Todo-poderoso.
>
> 2Coríntios 6.18

Camponesas adormecidas

Imagine viver dezesseis anos sem saber quem você é de verdade...

Tudo o que você conhece é o chalé em que cresceu e a floresta ao redor dele. As únicas pessoas com quem conversa são aquelas três tias atrapalhadas que vivem lembrando você de que não é sábio falar com estranhos. Essa é a realidade da princesa Aurora na animação da Disney de 1959, *A bela adormecida*. Assistindo ao clássico algumas vezes antes de construir minha própria versão da princesa para o *Corajosas 2*, um detalhe me chamou a atenção: *Aurora cresceu sem saber quem era de verdade*.

Vivendo como uma simples camponesa, Aurora não fazia ideia de que era uma princesa, filha de um casal amoroso que a desejou por muito tempo. Meu coração queimou ao perceber esse detalhe, porque muitas garotas passam pelo mesmo dilema: *andam como camponesas adormecidas em vez de princesas*. Servas em vez de filhas. Escravas dos sentimentos e das circunstâncias, reféns de palavras maldosas, sem saber quem são e, portanto, sem conseguir desenvolver uma identidade saudável e usufruir dos benefícios de fazer parte da realeza dos céus.

Talvez o mesmo esteja acontecendo com você hoje. Oro para que as próximas páginas a ajudem a ajustar sua coroa, trocar as vestes de plebeia por um belo vestido e calçar sandálias limpas!

Que papo é esse de identidade?

De acordo com os dicionários, identidade é o conjunto de qualidades e características que torna possível distinguir e identificar uma pessoa. Ou seja, são características que definem quem você é, Corajosa. Esse pacote envolve seus gostos, suas experiências de vida, sua história e formação. É tudo aquilo que faz você ser você.

> **Identidade: o conjunto de qualidades e características que tornam você única.**

Mas a verdade é que essas informações não são o suficiente para definir quem realmente somos. Somos muito mais do que um aglomerado de preferências, traços físicos e aspectos culturais. Somos muito mais do que fazemos, possuímos ou aparentamos ser.

Há uma verdade fundamental que deve ser a base da nossa identidade: o Criador do universo é o nosso Pai, e apenas ele tem o direito de dizer quem nos criou para ser.

Filhas do Rei

[Jesus] clamou: "Aba, Pai, tudo é possível para ti. Peço que afastes de mim este cálice. Contudo, que seja feita a tua vontade, e não a minha".

Marcos 14.36

Quando menina, sempre que eu lia essa fala de Jesus, uma palavrinha me saltava aos olhos: *Aba*. Em "Flores no deserto", conto que escrevi para *Corajosas 2*, a vovó Flora diz à Aurora o significado dessa palavra. Você lembra qual é?

Aba quer dizer *pai/paizinho*. É uma palavra muito antiga que as crianças em Israel usavam para chamar pelo pai.

Foi essa a palavra que Jesus escolheu para falar com Deus em um dos seus momentos mais difíceis: quando a hora de se entregar por nós se aproximava. Ele chamou o Deus Todo-poderoso, o Criador do universo, de *Paizinho*. Pode ser que essa demonstração de intimidade não seja uma surpresa para você, que cresceu ouvindo as pessoas chamarem o Senhor dessa forma na igreja. Mas, nos dias de Jesus, essa expressão não só poderia surpreender como também soar chocante.

As pessoas não estavam acostumadas a encarar Deus dessa forma. Era uma novidade, e nem todo mundo entendeu isso direito. No entanto, a reação das pessoas não deteve Jesus. Lendo os Evangelhos, percebo que enquanto ensinava às multidões o Mestre tinha como uma de suas missões revelar o caráter paterno de Deus. Ele queria que as pessoas entendessem que Deus não só é o Pai dele, *mas o nosso* também. Não foi à toa que ao ensinar os discípulos a orar Jesus começou da seguinte maneira: "*Pai nosso*, que estás nos céus" (Mateus 6.9, grifos meus).

Ainda criança, ouvi sobre o caráter paterno de Deus, mas foi só na adolescência, quando me olhei no espelho e não reconheci a garota na minha frente, que realmente entendi o que significa ser filha do Deus Altíssimo. Por anos, a afirmação "Sou filha do Rei" foi apenas uma frase que eu compartilhava em fotos *aesthetics* nas redes sociais. Era um quentinho que envolvia meu coração por alguns segundos e logo ia embora... Eu não me sentia filha, essa é a verdade.

Sem entender o que é a paternidade de Deus e o que ela poderia representar em minha vida, acabei me perdendo. Aos catorze anos, fiz novas amizades e descobri um mundo novo. Cansada de só folhear as revistas da *Capricho* e sonhar em ser uma daquelas "garotas perfeitas", troquei as meias coloridas e o All Star gigante (eu calço 38-39!) por um par de meias e tênis mais sóbrios e me aventurei pelo universo *teen*. Quando dei por mim, estava fazendo parte de um dos grupos de garotas mais populares da escola.

É, eu tive minha fase Jenna Rink (sim, a protagonista que acorda com trinta anos, "a idade do sucesso", na clássica comédia romântica *De repente 30*).

Eu não me dava conta, mas para manter meu novo papel acabei renunciando a princípios e valores. Passei a me preocupar demais com a aparência (exagerando nas maquiagens e no tamanho das roupas), a falar diferente, a competir com outras garotas e até a desobedecer aos meus pais — à la Jenna Rink. Aos poucos, essas atitudes foram minando a minha fé. Eu preferia passar meus fins de semana com minhas amigas a qualquer hora na igreja. Não tinha mais prazer em orar, porque sempre me sentia culpada ao falar com o Senhor, e mal conseguia tocar na Bíblia.

Mas nem tudo estava perdido. Eu estava em uma festa na casa de uma amiga, tentando dançar uma-música-para-lá-de-duvidosa (daquelas que só humilham as garotas, sabe?), quando ouvi a voz do Espírito Santo me dizer: "Filha, aqui não é seu lugar. Volte para casa". Aquele era o jeitinho pelo qual meu Pai me chamou de volta para os seus braços. Os meses passaram e o Senhor não desistiu de mim. Um dia, eu me olhei no espelho e não reconheci aquela garota. Ela já não tinha o mesmo brilho nos olhos, nem a paz que um dia encheu o seu coração.

Você se identifica com o meu relato, Corajosa? Alguma vez você

( ) renunciou a princípios e valores inegociáveis?
( ) se sentiu distante de sua verdadeira identidade?
( ) não conseguiu se sentir uma filha amada?
( ) se preocupou demais com a aparência?
( ) se afastou do Senhor?

Tenho uma boa notícia para você: o Pai está de braços abertos, ansiando que você volte para casa!

Escamas parecem ter caído dos meus olhos, e me assustei ao ver que havia renunciado a tantas coisas preciosas para mim. Deixei de lado meu relacionamento com Deus, permiti que garotos brincassem com meu coração, fui teimosa, pirracenta (minha mãe que o diga!), egoísta. A partir daquele momento, senti o Senhor me tomar pela mão e me conduzir por uma jornada de perdão, cura e transformação. *Nessa jornada, finalmente entendi quem Deus é e quem ele me criou para ser.*

Vivemos em um tempo, Corajosa, em que é comum ouvirmos que "podemos ser a garota que quisermos ser". Há quem diga que "o céu é o limite" e que devemos "nos deixar levar pelos sentimentos". Mas esse é um caminho tão perigoso! A trilha pode até começar bonita, prometendo grandes aventuras e emoções, mas a grama macia logo dá lugar a pedras afiadas e o terreno se torna íngreme, aumentando o preço da subida. E mesmo que você insista no caminho, ao chegar lá no alto, pode se decepcionar com a paisagem.

É por isso que um dos principais propósitos do nosso ministério é ajudar você a entender que só há um caminho para descobrir sua verdadeira identidade: *conhecer o Deus que a criou*.

Deus não só enviou seu amado Filho para morrer em seu lugar e pagar o preço por seus pecados, como também se dispôs a assinar sua certidão de adoção e recebê-la em sua família como filha amada. Incrível, não é?

João, que ficou conhecido como o apóstolo do amor, entendeu isso muito bem e, inspirado por Deus, frisou esta verdade: "Mas, a todos que creram nele e o aceitaram, ele deu o direito de se tornarem filhos de Deus" (João 1.12).

Ao crer em Jesus como seu Senhor e Salvador, você deixa de ser apenas criação para se tornar filha. Veja o que o apóstolo Paulo escreveu:

> E, porque nós somos seus filhos, Deus enviou ao nosso coração o Espírito de seu Filho, e por meio dele clamamos: "Aba, Pai". Agora você já não é escravo, mas filho de Deus. E, uma vez que é filho, Deus o tornou herdeiro dele.
>
> **Gálatas 4.6-7**

Será que essa verdade está escrita em seu coração? Assim como Aurora e eu, você talvez tenha crescido ouvindo que Deus é seu Pai, mas será que a sua identidade está mesmo firmada nessa verdade?

Tire um tempinho para sondar o seu coração. Se puder, vá até um espelho e observe seu reflexo. Ao contemplar as curvas que formam seus olhos e seu sorriso único, pergunte-se: *Quem eu sou?* Leve o tempo que precisar. Depois, volte aqui e use o espaço abaixo para registrar com sinceridade *quem você é aos seus olhos*.

Seja sincera: você acha que a imagem que tem de si mesma condiz com o que Deus diz sobre você?

( ) Sim
( ) Hum... Talvez?
( ) Não

Para muitas meninas, marcar o "não" é inevitável. Por mais que desejem se sentir como filhas amadas e preciosas, a realidade é outra história. E isso acontece porque, à medida que crescemos, nossa identidade é fortemente influenciada pelos desafios que enfrentamos, o ambiente em que vivemos e as pessoas que nos cercam. Por vezes, essas influências podem nos ferir e nos fazer acreditar em uma imagem distorcida, muito diferente daquela que o Senhor tem sobre nós. Confira alguns exemplos:

◇ Apesar de ter aprendido na escola dominical o quanto Deus a amava, Olívia cresceu ouvindo de uma pessoa muito próxima que ela "não era boa em nada do que fazia" e que "sua vida nunca daria certo". Ela cresceu, mas até hoje acredita nessas coisas.

◇ Clara cresceu ouvindo que "era um erro" e que "não deveria ter nascido". Os anos passaram e, mesmo tendo conhecido o Senhor, ainda não consegue aceitar plenamente o seu amor.

◇ Ao ver o pai ir embora de casa, Aurora sentiu pela primeira vez a dor da rejeição e do abandono. A partir daquele dia, passou a se sentir sozinha e, embora soubesse que Deus é um Pai bom e presente, não conseguia confiar nele de verdade. No fundo, temia que ele também pudesse abandoná-la.

Não temos poder para impedir que situações assim aconteçam, pois vivemos em um mundo caído, marcado pelo pecado. Como você viu no capítulo 1, muitas vezes nosso coraçãozinho pode ser ferido pelas escolhas pecaminosas de pessoas à nossa volta ou mesmo por nossas próprias decisões ruins. Mas esse é um problema que tem solução!

Com a ajuda do Senhor, é possível lidar com as consequências e as marcas geradas por esses traumas. As mãos poderosas de Deus são fortes o suficiente para arrancar cada mentira que se alastra como erva daninha no solo de nosso coração, e sua voz bondosa pode ecoar alto o bastante para silenciar as mentiras. Aprender a discernir a voz dele é a chave para que seu coração seja curado e você não só *saiba* que é amada, mas também se *sinta* amada.

Vamos sondar esse coraçãozinho mais uma vez? Leia Romanos 8.15-17 e peça ajuda ao Espírito Santo para identificar se existe algo, no seu passado ou presente, que tem impedido você de crer na paternidade de Deus. Em vez de deixar essa erva daninha escondida em um pontinho esquecido do seu coração, traga-a para a luz e deixe que o Senhor a cure. Você pode registrar o que encontrar aqui embaixo:

Mais preciosa que a Mona Lisa

Quero que pense em algo comigo, Corajosa: Quem sabe mais sobre uma obra-prima do que o seu criador?

Pense, por exemplo, na Mona Lisa. A obra de Leonardo da Vinci é a pintura mais famosa do mundo. Não faltam especialistas por aí para palpitar a respeito dela. Eles não se cansam de falar sobre os materiais e as técnicas usados por da Vinci, sobre os possíveis significados do famoso sorriso, para não falar de todas as teorias já levantadas sobre quem seria a mulher ali retratada...

Apesar das análises e argumentações, só quem poderia descrever o processo de criação de cada detalhe seria o próprio Leonardo da Vinci.

Creio que, quando o assunto é você, as coisas não são diferentes. Apenas aquele que a viu antes mesmo que você nascesse, que a projetou e tem andado a seu lado todos os dias, pode dizer com propriedade quem você é.

Temos um Deus que se importa conosco em cada detalhe e que deseja restaurar nossa identidade. Em sua Palavra, ele tomou o cuidado de deixar afirmações preciosas a nosso respeito, e é conhecendo cada uma delas que o processo de arrancar as ervas daninhas começa, não importa quão profundas sejam as raízes.

Por isso, pegue a sua Bíblia e algumas canetas coloridas, pois a sua missão agora é encontrar algumas dessas afirmações, lê-las com cuidado e escrevê-las em seu coração.

Leia as passagens a seguir e decifre o que Deus diz sobre você:

Efésios 1.4 ....
Efésios 1.5 ....
Efésios 1.7 ....
João 3.16 ....
1João 1.9 ....
1João 3.1 ....
Romanos 5.10 ....
2Coríntios 5.20* ....

Não esqueça de grifar esses versículos em sua Bíblia!

Viu como você é uma garota maravilhosa? As mentiras que podem ter contado para você e que encontraram morada em seu coração não se sustentam diante do que Deus diz a seu respeito. Está na hora de fazer como a Aurora e escolher dar ouvidos à voz certa, a única que tem propriedade para definir quem você é!

— Jesus usou uma palavra muito preciosa para descrever o Senhor: *Aba* — disse vovó. — Essa era a palavra que as crianças hebreias usavam. Quer dizer "paizinho". A verdade, minha filha, é que existe um Pai no céu que te amou tanto a ponto de enviar o próprio Filho para morrer em seu lugar. E o sangue de Jesus naquela cruz não só salvou você da morte eterna, mas assinou sua certidão de adoção. Você é filha do Deus Altíssimo. Filha do Rei dos reis. E o que isso faz de você?

— Uma princesa — tia Vera respondeu em meu lugar, já que as lágrimas me impediam de formular qualquer frase. — Uma pedra preciosa do Senhor. ("Flores no deserto", *Corajosas 2*, p. 80)

* Escolhida, Adotada, Redimida, Amada, Perdoada, Filha, Reconciliada, Embaixadora.

É muito fácil se esquecer dessas afirmações no dia a dia e voltar a sentir os ombros pesarem com as mentiras. Por isso, é fundamental trazer à memória essas afirmações. Lembrar e relembrar pode ajudar você a de fato escrevê-las em seu coração.

> *Diga ao seu coração, todos os dias, o que seu Pai diz a seu respeito.*

Tenho um desafio para você!

Que tal escrever essas afirmações em post-its e espalhá-los por seu quarto? Assim, você poderá vê-las toda vez que precisar delas e chutar para longe as mentiras quando elas ousarem dar as caras.

Aproveite para orar e pedir que o Senhor ajude você a se ver como ele a vê:

> Querido Deus, é tão fácil me esquecer que sou uma filha amada e deixar que mentiras encontrem morada em meu coração. Por vezes, vozes maldosas e situações difíceis tentam me fazer acreditar que não sou amada nem vista pelo Senhor. Ajuda-me a crer em sua Palavra e a me enxergar desse jeitinho maravilhoso que o Senhor vê. Arranca as ervas daninhas e me ajude a semear sua Palavra, Aba. Em nome de Jesus, amém!

Limpando os olhos

Você já tentou admirar a paisagem (ou mesmo tirar uma foto) enquanto passeava de carro e foi atrapalhada por alguma sujeirinha no vidro? Janelas sujas costumam nos impedir de ver perfeitamente o que há lá fora. O que você não sabe é que elas também podem prejudicar o modo como vemos a paternidade de Deus e até mesmo nos atrapalhar a receber plenamente o seu amor.

Assim como a poeira e a chuva podem deixar marcas na janela do nosso quarto, o relacionamento com nossos pais terrenos (ou a falta dele) pode afetar a maneira como enxergamos o Senhor.

Voltemos ao exemplo da Aurora. Ver o pai se afastando pouco a pouco fez com que ela se questionasse, desde muito cedo, se havia feito algo de errado. O que ela poderia ter feito para ele se afastar? Será que não era uma filha boa o suficiente? Quando ele foi embora, ausentou-se ainda mais de suas responsabilidades como pai, o que só aumentou a ferida que a garota já carregava. Ela se sentiu rejeitada e abandonada.

Aurora não se deu conta disso, mas começou a transferir esses sentimentos para Deus. Ela temia que ele também a abandonasse, que se cansasse dela e não a ajudasse em um momento de necessidade. Esses sentimentos se misturavam, prendendo Aurora em um carrinho de montanha-russa. Um dia, o carrinho subia e ela conseguia sentir o amor de Deus, no outro, ele despencava e tudo o que sentia era solidão... Seu relacionamento com o Senhor era tão inconstante quanto seus sentimentos.

Por vezes, projetamos no Senhor os traumas, as dores e as decepções que carregamos. Então, passamos a crer que Deus não é um pai tão bom assim. Podemos encontrar em nossos olhos inúmeras sujeirinhas: as manchas do abandono e da ausência, o rastro deixado pelo abuso ou violência, a crosta causada pela humilhação ou os traços da severidade e das cobranças excessivas.

Hoje, quero lembrar você que, embora nossos pais terrenos não sejam perfeitos, *Deus é*. E ele anseia que o vejamos com os olhos limpos, livres de toda mancha.

Ainda que você não possa apagar o que aconteceu no passado, pode ter a certeza de que Deus é infinitamente capaz de curar o seu coração. Para isso, ele precisa que você comece a remover as manchas e o veja como ele realmente é. Está disposta a fazer isso?

Um dos meus textos favoritos sobre o Senhor se encontra em 1 Coríntios 13.4-7. Durante boa parte da adolescência, ao ler esse texto eu só pensava no amor romântico. Lia as palavras de Paulo e pensava no meu conto de fadas (pode rir, eu deixo!), até que Deus ministrou ao meu coração que esse texto trata, em primeiro lugar, dele próprio e do tipo de Pai que ele é.

Por isso, quero desafiar você a ler o texto com atenção e a trocar a palavra *amor* por *Aba*.

Mesmo que você não tenha enfrentado desafios no relacionamento com seus pais terrenos, faça esse exercício com atenção, pois ele reforçará em seu coração verdades fundamentais sobre a paternidade divina. Vamos lá?

> O .... é paciente e bondoso. O .... não é ciumento, nem presunçoso. Não é orgulhoso, nem grosseiro. Não exige que as coisas sejam à sua maneira. Não é irritável, nem rancoroso. Não se alegra com a injustiça, mas sim com a verdade. O .... nunca desiste, nunca perde a fé, sempre tem esperança e sempre se mantém firme.

Um Pai perfeito, não? Esse é o nosso Deus!

Se você não tem conseguido enxergar o Senhor como um Pai bondoso, amoroso e presente, está na hora de limpar esses olhos. Vamos pedir ajuda a Jesus? Abra seu coração para o Mestre e compartilhe com ele as manchinhas que têm embaçado sua visão. Deixe que ele limpe seus olhos e cure seu coração.

Para adicionar à sua playlist

Que tal incluir na sua playlist algumas canções que destacam o amor que o Pai tem por você? Separei esta listinha especial que tem me acompanhado ao longo dos anos.

- "Teu amor por mim", Luma Elpidio
- "Filho amado", Laura Souguellis
- "As verdades sobre mim", Melissa Barcelos
- "He sees you", Terrian
- "Daughter of the King", Jamie Grace

Ser filha muda tudo

Ainda que saibam qual é sua verdadeira identidade, muitas garotas não caminham como filhas. Andam por aí cabisbaixas, como que carregando um fardo pesado. Sabe por que elas vivem assim? Porque agem como se tivessem um pai que não se importa. Elas se sobrecarregam com funções que não pertencem a elas e se privam de viver os benefícios de ser filha do Criador do universo.

Nossa missão é diagnosticar em que posição você se encontra. Será que tem mesmo caminhado como uma filha amada? No quadro ao lado, você poderá encontrar algumas das características que fazem parte do dia a dia da garota que vive como uma *plebeia* e daquela que se porta como *filha do Rei*.

Leia com atenção e seja bem sincera ao responder, viu?

Plebeia	Filha do Rei
( ) Estou sempre preocupada com os recursos financeiros.	( ) Sei que não preciso me preocupar porque tenho um Pai que cuida de mim em cada detalhe (Mateus 6.26).
( ) O futuro me causa medo e ansiedade.	( ) Confiei meu futuro ao Pai, porque sei que sua vontade para mim é boa, perfeita e agradável (Romanos 12.2).
( ) Preciso ter o controle de tudo (sempre!).	( ) Tenho aprendido que, por mais que eu queira, não consigo ter o controle de todas as coisas. Meu Pai, por outro lado, tem meu nome na palma de suas mãos (Isaías 49.16) e faz tudo cooperar para o bem (Romanos 8.28).
( ) Não consigo descansar e vivo sobrecarregada.	( ) Entrego meus fardos ao Pai e encontro descanso em seus braços, pois não estou só (Mateus 11.28).
( ) Tenho medo de pedir as coisas a Deus.	( ) Tenho liberdade para apresentar meus pedidos ao Pai, porque sei que ele tem prazer em dar coisas boas aos seus filhos (Mateus 7.7).
( ) Me sinto só o tempo todo.	( ) Posso até não ter muitas pessoas à minha volta, mas sei que meu Pai jamais se esquecerá de mim (Isaías 49.15).

Entenda isto, Corajosa: Deus se importa com cada detalhe da sua vida. O Pai deseja escrever sua história com você, e nela você não é uma plebeia que precisa abraçar o mundo com seus braços pequenos e frágeis. Nessa história, o controle está nas mãos dele, e você tem o privilégio de ser filha!

Ajustando a coroa

Em um mundo em que as mentiras ecoam tão alto e são propagadas o tempo todo, seja pelas pessoas à sua volta, seja pelas redes sociais, é fácil acreditar que você não é bonita, suficiente ou preciosa. É mais fácil se apegar às mentiras do que crer nas verdades ditas pelo Rei dos reis sobre você, não é mesmo?

Assim como Jamie Grace expressa em sua canção "Daughter of the King", eu também desejo viver em um mundo em que cada garota saiba que o Deus que projetou o céu e os mares é o mesmo artesão que nos criou. Sonho em vê-las ajustando a coroa, trocando as vestes de plebeia por um belo vestido de princesa e caminhando como as filhas amadas que Deus as criou para ser. Foi para isso que a nossa Aurora Rosa Müller nasceu: *para lembrar você de que você faz parte da realeza!*

Podemos começar uma revolução aqui, sabia? Assim como eu, você não só pode desenvolver uma identidade sólida e saudável firmada no que o Aba diz a seu respeito, como pode também encorajar outras meninas a fazer o mesmo. Topa embarcar nesse desafio comigo?

3

Corajosa para proteger meu coração

por Queren Ane

> Acima de todas as coisas, guarde seu coração,
> pois ele dirige o rumo de sua vida.
> *Provérbios 4.23*

Na minha adolescência, Provérbios 4.23 era o versículo que eu mais escutava. Se eu entendia, aí já é outra história. Naquela época, eu tinha três grandes questões sobre o versículo: 1) não sabia direito o que era o meu coração, 2) não sabia como é que eu poderia guardá-lo e 3) em minha ignorância, pensava que tinha a ver com paixões e romance. Como se uma garota cristã tivesse apenas isso com que se preocupar.

Apesar disso, a verdade é que só comecei a entender o famoso "guarde o seu coração" após uma terrível desilusão amorosa que sofri aos catorze anos. Uma desilusão que me custou meses de coração partido, lágrimas e muita oração, mas que foi uma matéria-prima maravilhosa nas mãos de Deus para minha rendição a Cristo. Foi assim que Provérbios 4.23 se tornou meu escudo. Apesar de não entender direito como eu protegia o meu coração, eu sabia que não queria me defraudar e desagradar a Deus. Sentia o Espírito Santo começar a me mudar por dentro, agindo sobre minhas vontades e me transformando ao longo do caminho da santidade.

Guardar o coração vai muito além de se proteger das paixões da juventude. A verdade é que devemos guardar o coração de tudo que pode contaminá-lo e torná-lo impuro, levando-nos para longe de Deus e de tudo o que ele nos projetou para ser.

Mas, afinal, o que é o meu coração?

Na visão bíblica, o coração não é apenas um órgão muscular. É o centro do seu ser. É o palco dos afetos, das vontades, das decisões, das intenções... é o nosso interior. Tudo o que alguém é, pensa, fala, quer e faz procede de seu coração. Não é de admirar que na Bíblia a palavra "coração" apareça centenas de vezes. Deus sabe que o coração é o ponto vital de nossa vida e, por isso, deixou muitos princípios para que possamos viver de maneira que o agrade.

E é por isso também que você precisa compreender o que é o seu coração. É nele que o pecado é praticado, e é ali também que Deus opera para que nasçamos para uma nova vida em Cristo.

O coração é muitas vezes comparado com a nascente de um rio. Uma fonte é o local de origem da água, onde ela brota. Da fonte a água jorra e segue seu curso, dando ao rio movimento e ramificações. Um rio é a principal fonte de água potável dos seres humanos, algo essencial para a vida. A fonte de um rio é um lugar estratégico. Se ela é contaminada, tudo o que flui dela também estará contaminado. Logo, a própria existência fica comprometida.

Assim como um rio, o que sai do seu interior dá movimento e se ramifica por sua vida. Se estiver contaminado, tudo em você estará comprometido. Assim, a Palavra de Deus afirma que do nosso coração procedem as saídas da vida e nos alerta para protegê-lo cuidadosamente.

Onde está o seu coração?

"Onde seu tesouro estiver, ali também está seu coração", disse Jesus em Mateus 6.21.

Jesus declarou essas palavras em seu brilhante Sermão do Monte. Para entender melhor, sugiro que abra sua Bíblia em Mateus 6.19-24 e leia com cuidado as advertências de nosso Mestre. Nessa passagem, ele alerta contra o acúmulo de riquezas na terra em oposição às riquezas no céu. Ordena que acumulemos tesouros celestiais, tesouros esses que não podem ser destruídos ou roubados.

Logo na sequência, ele menciona o papel dos olhos nessa equação:

> Seus olhos são como uma lâmpada que ilumina todo o corpo. Quando os olhos são bons, todo o seu corpo se enche de luz. Mas, quando os seus olhos são maus, o corpo se enche de escuridão.
>
> **Mateus 6.22-23**

John Wesley certa vez escreveu: "Os olhos representam a intenção. Assim como os olhos dirigem todos os movimentos do corpo, as intenções guiam os movimentos da alma".

No conto "A princesa e seu sonho", de *Corajosas 1*, Tati é uma menina esforçada, estudiosa e trabalhadora que deseja ser chef de cozinha. Ela dedica todo o seu tempo e esforço para tornar esse sonho realidade. Um sonho bonito que, aos poucos, toma um espaço maior do que deveria no coração da nossa princesa. Logo suas prioridades mudam, e o sonho se torna a razão pela qual ela vive.

Se você leu a história de Tati, vai concordar comigo (e com a mãe dela!) que nossa princesa vivia de maneira nociva, prejudicial. Apenas quando adoece em razão de estresse, ansiedade e cansaço, Tati consegue encarar a dura verdade: *seu sonho tinha se tornado um ídolo que roubava o lugar de Deus em seu coração.*

> Você descobre onde está o seu coração quando percebe onde estão os seus olhos.

Se perdermos o foco daquilo que é eterno, do real propósito pelo qual vivemos, se desejarmos coisas terrenas mais que tudo — mesmo coisas boas e lícitas criadas por Deus —, se projetarmos nossa felicidade e satisfação nelas, nossa tendência será criar ídolos no coração. Pessoas, objetos, sonhos, ideais e até o próprio serviço a Deus podem se tornar um ídolo em nossa vida. Aliás, somos especialistas em projetarmos em algo ou alguém nossos desejos e reivindicações para que nossa vontade seja cumprida.

Corajosa, vou contar um segredo, coisa de amiga mesmo: no fundo, os ídolos do coração escondem o maior ídolo de todos, que é você mesma. Então, você apenas cria ídolos para satisfazer o desejo de ser deus e controlar sua própria realidade.

Olhos na terra ou na eternidade?

Com os olhos voltados para o que é passageiro, buscamos desenfreadamente o que o mundo pode oferecer: prazeres, riquezas, fama, status, reconhecimento... No entanto, os que buscam obter tesouros terrenos podem até ganhar o mundo, mas acabam perdendo a própria alma.

Se os seus desejos, paixões, motivações estão desalinhados com o coração de Deus, você se enche de trevas.

> Se seu alvo está em alguma coisa que não é Deus, tudo é vaidade e aflição de espírito.
>
> **John Wesley**

Assim nos exorta o apóstolo João em sua primeira carta:

> Não amem este mundo, nem as coisas que ele oferece, pois, quando amam o mundo, o amor do Pai não está em vocês. Porque o mundo oferece apenas o desejo intenso por prazer físico, o desejo intenso por tudo que vemos e o orgulho de nossas realizações e bens. Isso não provém do Pai, mas do mundo. E este mundo passa, e com ele tudo que as pessoas tanto desejam. Mas quem faz o que agrada a Deus vive para sempre.
>
> **1João 2.15-17**

Sim, sem dúvida há espaço para as alegrias da vida. Não é errado sonhar, projetar um futuro, estudar, trabalhar, viajar. Tudo isso é permitido por Deus. A vida debaixo do sol acontece em muitas esferas, e o trabalho e a família, por exemplo, foram projetados pelo próprio Deus. E, após a Queda, a vida se tornou difícil e exigiu de nós mais esforço e trabalho duro.

Nossa princesa Tati entendeu isso muito bem. Precisou estudar arduamente para ingressar no curso superior que queria e teve de trabalhar desde cedo para ajudar a mãe quando o pai faleceu. Essas coisas não estão erradas. *O problema está em perder de vista o que é eterno ao pensarmos que vivemos para o agora.* Está em permitir que sonhos e realizações nos governem e assim vivamos para nossos próprios desejos.

Se Deus não estiver em primeiro lugar em nossa vida, e se ele não for nossa fonte de satisfação, ficaremos inclinadas a colocar outra coisa no lugar dele, como fez a Tati. Ela deixou seu sonho roubar o lugar de Deus em seu coração. Negligenciou a comunhão com o Pai, com os familiares, com os amigos e com ela mesma. Tati se afundou em estresse e ansiedade, perdendo o bom equilíbrio na vida. E as orações da Tati eram apenas para pedir que Deus atendesse a seu pedido. *Ela já não queria Deus por quem ele é, e sim pelo que poderia lhe oferecer.* E essa é outra forma de idolatria.

Assim como a Tati, eu cultivei um sonho por anos e me esforcei muito para tentar realizá-lo. Perdi de vista o que mais importava e também me afundei em estresse, ansiedade e tristeza. Deixei de lado meu relacionamento com Deus e, assim como minha princesa, buscava-o tão somente para pedir e pedir. Meu sonho havia se tornado um ídolo, projetado para satisfazer meus desejos mais profundos. Havia em mim a necessidade de ser reconhecida e valorizada. Como se o meu sonho pudesse me tornar "alguém". Cresci com um infiltrado complexo de inferioridade e um desejo de autoafirmação. Para mim, se eu conseguisse realizar aquele sonho, seria feliz e valorizada pelas pessoas.

Deus foi tão bondoso e amoroso comigo ao tirar o meu sonho! Naquela época, eu me entristeci com ele porque não entendia seus "nãos". Meu sonho era um sonho bom, mas escondia minhas deficiências e anseios ocultos e, sobretudo, não era o sonho que Deus tinha planejado para mim.

Diferentemente da Tati, que precisou que Deus reordenasse suas prioridades e alinhasse seu coração para ter o sonho que desejava, o meu o Senhor precisou quebrar. Doeu? Puxa! E como. E, embora não entendesse porque Deus me tirava algo que eu tanto queria, hoje sou muito grata, porque seu "não" foi uma redoma de proteção para mim. Deus me protegeu ao não me dar o que eu queria porque ele tinha sonhos ainda melhores a meu respeito. Antes, porém, ele precisava cuidar do meu coração e me mostrar que ele era tudo de que eu precisava. Assim, ao reconhecê-lo e amá-lo, eu também entenderia que meu valor e minha dignidade residem no fato de ter sido feita à sua imagem e semelhança. Não conseguiria obter através de trabalho e status aquilo que recebi de graça por meio da Graça. Entendi que seu amor por mim é mais que suficiente.

Após um longo processo de transformação, Deus me deu novos sonhos para sonhar. Escrever para garotas foi um deles. Que belo sonho do Pai, não é mesmo? Para muitos, foi uma loucura trocar uma carreira grande e promissora por algo pequeno, escondido e não valorizado. Mas eu não vejo assim. Que privilégio é para mim usar os dons e talentos que Deus me deu para aproximar meninas do seu coração! Viver esse ministério é uma grande honra! E, enquanto for a vontade de Deus, minha caneta não vai parar. Ops, ou seriam os meus dedos?

> *Você tem tudo quando faz de Deus o seu tudo, pois ele é o seu maior tesouro.*

Entenda, Corajosa: a coisa mais incrível que Deus pode nos dar é ele mesmo. Jesus morreu para que você tivesse perdão, vida e comunhão com o Pai, para que pudesse ser filha e amiga. Essa é a coisa mais grandiosa que o Senhor fez por você. Você tem tudo quando faz de Deus o seu tudo, pois ele é o seu maior tesouro. Deus é o motivo e a recompensa da sua busca. É por ele que seu coração espera durante toda a vida. Escolha a melhor parte. Busque primeiro o reino de Deus em seu coração e as demais coisas serão acrescentadas de acordo com a vontade do Pai.

Não duvide de que Deus conhece suas necessidades, planos, sonhos e intenções. Ele vê você no íntimo, e o seu futuro já está seguro nas mãos daquele que sustenta o universo. Lance sobre ele todas as suas preocupações, porque ele tem cuidado de você. Coloque tudo aos pés de Jesus e permita que ele estabeleça a vontade dele no seu coração. Busque os sonhos de Deus para sua vida.

Vamos fazer um check-up em seu coração? Leia as perguntas abaixo e responda com cuidado:

A busca por Deus tem sido uma prioridade para você?

....

....

Em caso negativo, o que tem roubado seu tempo com Deus?

....

....

....

Analise sua rotina com cuidado. O que tem recebido mais sua atenção: os estudos, as amizades, as redes sociais, os sonhos, a vida com Deus? Use o espaço abaixo para anotar, com muita sinceridade, a ordem de suas prioridades hoje:

1. ....
2. ....
3. ....
4. ....
5. ....

Agora que você já sabe que Deus merece ocupar o centro do seu coração, será que sua lista de prioridades precisa passar por uns ajustes?

Não siga o seu coração

Vivemos em um mundo egocêntrico. O homem se tornou seu próprio centro e vive para realizar suas vontades. O conselho "siga o seu coração" se torna o combustível de que cada pessoa precisa para fazer o que é agradável aos próprios olhos. "A vida é sua e você é o seu próprio dono", dizem. "Não meça esforços para alcançar o sucesso. Persiga seus sonhos e se aposse de tudo a que você tem direito. Não é errado se faz você feliz."

O mundo não poderia estar mais longe da verdade. Deus é o centro de todas as coisas e plena fonte de vida e satisfação.

> O coração humano é mais enganoso que qualquer coisa
> e é extremamente perverso;
> quem sabe de fato o quanto é mau?
> Eu, o Senhor, examino o coração
> e provo os pensamentos.
>
> **Jeremias 17.9-10**

Enganoso é o coração. Por quê? Porque nosso interior foi contaminado pelo pecado. Em nosso íntimo somos corrompidos. Por isso, não podemos confiar em nosso próprio coração; ele é tendencioso a querer aquilo que nos dá prazer carnal, que inflama o ego, que nos coloca num pedestal e nos dá aparente soberania sobre nossa vida.

Vivemos inclinadas a pensar que o coração deseja o que é certo, mas repetidamente esquecemos quanto o pecado nos cega e nos deturpa. O próprio Deus disse que o coração humano é perverso e mais enganoso que qualquer coisa. A Palavra diz que não devemos nos apoiar em nosso próprio entendimento, nem sermos sábios aos nossos olhos, mas sim temer e confiar *no* Senhor de todo coração e *o* reconhecer em todos os caminhos (Provérbios 3.5-7).

Sendo assim, diante de uma exposição tão clara da parte de Deus, aquele que fez você e a conhece melhor que ninguém, como você pode supor que deve confiar em seu coração? Talvez isso tenha acontecido no passado, quando você era guiada por suas paixões. Em Cristo, porém, liberta da escravidão do pecado, você não está mais sob o domínio de seus desejos. Agora, você é governada pelo Espírito de Deus que habita em você.

> Portanto, irmãos, vocês não têm de fazer o que sua natureza humana lhes pede, porque, se viverem de acordo com as exigências dela, morrerão. Se, contudo, pelo poder do Espírito, fizerem morrer as obras do corpo, viverão, porque todos que são guiados pelo Espírito de Deus são filhos de Deus.
>
> **Romanos 8.12-14**

Portanto, este é meu conselho: *Não siga o seu coração. Siga o Espírito Santo que nos dá vida.*

O coração e as distrações

Quando eu era criança e viajava de carro ou de ônibus, gostava de observar a paisagem correr através da janela. Era meu passatempo preferido. Tinha sérios problemas de enjoo, então eu buscava me distrair ao longo do caminho. Os grandes e coloridos outdoors atraiam meus olhos curiosos. Se a propaganda era de hotéis e viagens, eu costumava deixar a imaginação solta e me imaginar naqueles locais. Se era de roupas e sapatos, sonhava em ter dinheiro para usá-los algum dia. Eu adorava outdoors e tudo o que eles me proporcionavam: distração e fantasia.

Diferentemente daquela época em que eu era conduzida, hoje eu dirijo meu próprio carro e tenho pavor de outdoors! Eles tentam atrair minha atenção a todo instante e me distraem quando preciso manter os olhos fixos no caminho à minha frente. Dirigir é uma grande tarefa e precisa ser executada com atenção e responsabilidade. Se eu tiro os olhos da estrada por meros segundos posso causar acidentes terríveis. Um descuido, e isso pode custar a minha vida e a de outros.

> **Qual é o seu outdoor, Corajosa?**

Qual é o seu outdoor, Corajosa?

Você vive em um mundo no qual ocorre uma disputa desenfreada por sua atenção a cada segundo. Se entra no Instagram, por exemplo, vai deparar com imagens e vídeos de diversos assuntos, desde coaches motivacionais a maquiagens, e você nem sabe no que concentrar sua atenção. No final de minutos ou mesmo horas rolando um feed quase infinito, você se sente drenada, exausta, irritada e com a sensação de que no fundo não absorveu nada, apenas perdeu tempo e disposição.

Você se sente assim?

( ) Sim, quase sempre.
( ) Hum, só às vezes.

Nossa mente anda tão sobrecarregada que nos tornamos cada vez mais relapsas, esquecidas, imediatistas, invejosas, impacientes, descontentes, ansiosas, cansadas... As distrações, tanto da vida real como virtual, têm se tornado uma pedra de tropeço para muitas de nós.

Distrações nos cansam e tiram nossos olhos do caminho. Elas têm um fim nelas mesmas, ainda que de fato seja possível extrair algo de bom aqui e ali. *O problema do prazer momentâneo, seja de um doce ou de um entretenimento, é que ele passa tão rápido quanto veio, obrigando-nos a buscar mais e mais.* Somos tragadas para um ciclo vicioso do qual parece impossível se libertar.

Julgamos estar no controle, mas a verdade é que o coração ficou exposto e vulnerável ao controle de nossos vícios. Uma série após a outra, um doce após o outro, um romance após o outro, horas nas redes sociais, conversas vazias, tudo isso nos exaure mentalmente e fisicamente. A alma, porém, ainda tem sede e fome. Sempre nos sentiremos vazias e sedentas enquanto continuarmos a beber águas de poças mundanas em vez de nos deleitarmos na verdadeira fonte de vida.

Embriagadas de quê?

Você já reparou o que a bebida alcoólica faz com uma pessoa?

Ela perde o controle de si própria, anda de modo vacilante, não diz coisa com coisa, parece até ser outra pessoa. Em resumo, ela fica intoxicada e governada pelo álcool. Escravizada!

Muitas meninas e mulheres cristãs têm sido embriagadas por desejos, distrações, ansiedades, preocupações e tantas outras coisas que dominam a mente e enchem o coração. Assim, tornam-se fracas e vulneráveis.

Nossa mente, quando não está firmada no Senhor, vagueia o tempo todo por pensamentos vazios e mundanos. Deixados por conta própria, os pensamentos vão se afundando no lixo, do qual extraímos o alimento para nossa mente durante dias, semanas, meses e anos.

A embriaguez vem justamente daquilo que nos entorpece, que nos adormece por dentro e nos deixa distraídos. São as paixões, as distrações, os pensamentos que nos consomem.

Do que você tem se embriagado? O que tem dominado sua mente? Que tal fazer uma lista nas linhas a seguir?

....

....

....

....

....

....

....

Quando você se alimenta do que não é importante, acaba gastando sua energia mental e se sentindo cansada, desanimada, sem forças para ler a Palavra, orar, conversar com seu Pai, ir aos cultos, e assim por diante. *Você abandona o que importa quando deveria abandonar tudo o que tem adormecido você.*

> Desperte, você que dorme,
>   levante-se dentre os mortos,
>   e Cristo [a] iluminará.
>
> **Efésios 5.14**

Corajosa, para obter as coisas eternas é preciso deixar as terrenas de lado. Seja radical e corte pela raiz aquilo que a faz tropeçar, ou você nunca terá aquilo que é eterno. Peça ao Senhor, como fez o salmista:

> Desvia meus olhos de coisas inúteis
>   e restaura-me por meio da tua palavra.
>
> **Salmos 119.37**

É muito importante que você se alimente da Palavra de Deus e coloque sua mente nas coisas do alto. Pensar no que é verdadeiro, respeitável, justo, puro, amável, de boa fama — é o que nos exorta o apóstolo Paulo em Filipenses 4.8.

Coloque seu pensamento em Cristo. Vá para o alto, porque é lá que o seu Pai está.

Guardando o coração

No começo de nossa conversa, falamos sobre a importância do coração, do qual depende toda a nossa vida, e pontuamos que o pecado é praticado no coração e que é também no coração que acontece a obra de Deus em nossa vida. É o seu centro, lembra? É por isso que Deus pede o nosso coração. As palavras de Salomão em Provérbios 23.26 são ecos do próprio Deus:

> Meu filho, dê-me seu coração;
> que seus olhos tenham prazer em seguir os meus caminhos.

Entregar o coração a Cristo para que ele seja Senhor sobre sua vida é o primeiro passo para guardá-lo. Você precisa entregar completamente o governo de sua vida a ele. Que Deus habite, reine e domine seu coração sem rivais. Que ele seja seu desejo, satisfação, alegria, descanso, seu único e incomparável amor. Amá-lo de todo coração é o que Deus pede.

Olhe o que Jesus disse sobre aqueles que o amam:

> "Se vocês me amam, obedeçam aos meus mandamentos."
> João 14.15

Aquele que ama a Deus guarda e obedece a suas palavras. E que palavras são essas? Como encontrá-las?

Sua Bíblia é recheada de palavras de Deus, pois ela é a Palavra de Deus. O Senhor se revelou a nós através de seus feitos e de suas palavras. Ele nos deixou um livro, a Bíblia, que contém todos os princípios de vida de que precisamos. Uma vida para conhecer, amar, refletir e agradar a ele.

Em Salmos 119.9, por exemplo, encontramos a pergunta: "Como pode o jovem se manter puro?".

Responda de acordo com o versículo: ....
Defina a palavra *pureza*: ....
E a palavra *obediência*: ....

Você se mantém pura vivendo de acordo com a Palavra de Deus. A Palavra de Deus é a verdade. Ela liberta, ilumina o caminho, dá vida à alma. Você deve guardar a Palavra de Deus no coração para não pecar contra ele (Salmos 119.10). É assim que você protege o seu coração, Corajosa. Guarde a palavra no coração e a pratique! Permita que a verdade mude a intenção do seu coração, sua conduta, sua vida por completo.

Grife na sua Bíblia alguns versículos sobre a *verdade*, como, por exemplo:

- ❖ Salmos 25.4-5
- ❖ Salmos 43.3-4
- ❖ Provérbios 30.5
- ❖ João 8.31-32
- ❖ João 14.6
- ❖ João 17.17
- ❖ Efésios 6.14
- ❖ Tiago 1.19

Jesus disse que, para segui-lo, para ser seu discípulo, precisamos negar o nosso eu, nossas vontades, nossos pecados. Ele disse que quem renunciar à própria vida por causa dele se salvará. E que quem tentar se apegar à própria vida a perderá. Negar a si mesma é uma condição para seguir Cristo e assim obter vida eterna. Lembre-se das palavras de Paulo:

> Fui crucificado com Cristo; assim já não sou eu quem vive, mas Cristo vive em mim.
>
> **Gálatas 2.20**

Foi para liberdade que Cristo a libertou, Corajosa! Permaneça firme. Diga não ao seu coração pecador. Renuncie a tudo por Cristo.

Apresente-se a Deus como um sacrifício vivo, santo e agradável. Não se deixe moldar pelo comportamento do mundo, mas transforme-se pela renovação da sua mente, pela mudança da intenção do seu coração, através da Palavra de Deus (Romanos 12.1-2).

Tenho uma boa notícia para você

Você não está sozinha nessa jornada, até porque você nunca conseguiria seguir adiante sozinha. Você recebeu o Espírito Santo, seu melhor Amigo, o Consolador, o Conselheiro, o Espírito da Verdade que a convence do pecado, do juízo e da justiça. Aquele que a guiará a toda verdade. O Espírito Santo ajudará você a morrer diariamente no processo que chamamos de santificação. Em termos simples, santificação é o processo em que somos transformadas à imagem e semelhança de Jesus. Devemos ser santas como santo é o Senhor.

Complete:

> Pois Deus nos chamou para uma vida ...., e não .... Portanto, quem se recusa a viver de acordo com essas regras não .... a ensinamentos humanos, mas .... a Deus, que lhes dá seu ....
>
> 1 Tessalonicenses 4.7-8

Tornar-se parecida com Jesus é uma ação contínua, de uma vida inteira — até que ele venha ou nos leve para si. Devemos buscar viver de maneira que agrade ao Senhor todos os dias. Buscar a comunhão diária com o Espírito Santo é vital. Você precisa ser cheia do Espírito. Completamente cheia!

O Espírito Santo vivifica, fortalece, capacita, cura, consola e transforma. E ele nunca, nunca deixará você sozinha. Você pode confiar na liderança do Espírito Santo para agir em sua vida de acordo com a vontade de Deus. Pode confiar que aquele que começou a boa obra em você é fiel para completá-la.

Um coração como o de Cristo

Você precisa buscar o coração de Cristo. E como era o coração do nosso Mestre? Um coração cheinho da Palavra de Deus. Jesus é o seu modelo, Corajosa. Você deve imitá-lo em tudo. E é esse coração que Deus quer que o seu se torne.

Que tal tentarmos definir, com nossas próprias palavras, alguns atributos do coração de Jesus?

Coração de Jesus	Minha definição
Puro	
Humilde	
Manso	
Compassivo	
Generoso	
Altruísta	

Agora, defina alguns opostos:

Coração humano	Minha definição
Impuro	
Orgulhoso	
Irritado	
Indiferente	
Mesquinho	
Egoísta	

Achegue-se a Deus, Corajosa. Confesse seus pecados. Abra o coração e peça ao Pai que crie em você um coração puro e um espírito firme. Você não foi chamada apenas para ser corajosa, mas também para ser forte! Forte para proteger o seu coração e viver para a glória de Deus!

Vamos fazer juntas uma oração?

Pai, aqui está o meu coração. Quero entregá-lo completamente ao Senhor. Abro mão do controle de minha vida. Quero que o Senhor seja o primeiro em tudo e que me ajude a arrumar minhas prioridades. Quero sua presença mais que o ar que eu respiro. Quero amá-lo mais que tudo e viver para servi-lo! Sonda o meu coração neste momento e veja se há algo que lhe desagrada. Destrone o meu eu e quebre todos os meus ídolos. Arranque sonhos, desejos e pensamentos que não são da sua vontade. Perdoe meus pecados e me torne limpa como a neve. Tire os meus olhos das coisas inúteis e me ajude a amar a tua Palavra e praticá-la. Me guie por seus caminhos, Senhor. Me ajude a proteger o meu coração, pois ele é o seu altar. Quero um coração como o de Jesus. Plante em mim os seus sonhos e o seu querer. Seja o Rei do meu coração. Eu me submeto a sua vontade para minha vida. E quando eu ousar tentar roubar o seu lugar, lembre-me a quem eu pertenço e o preço alto que foi pago para me resgatar. Meu coração é seu! Agora e para sempre. Amém.

Oito conselhos práticos para guardar o coração

1. *Preste atenção no que você tem pensado.* É verdadeiro? É respeitável? Glorifica a Deus? Leve todo pensamento cativo a Deus para torná-lo obediente a Cristo. Pegue seus pensamentos e coloque-os em outro lugar, nas coisas louváveis. Deus lhe dará graça para fixar sua mente nas coisas do alto, porque é lá que ele está.

2. *Proteja os seus olhos.* O que você tem lido? O que tem assistido? Tudo o que nossos olhos veem chegam ao coração e influenciam, diretamente ou não, seu pensar e agir. Analise bem como você tem alimentado seu coração. Faça uma lista dos seus programas de tevê, canais no YouTube, perfis do Instagram, conteúdo do TikTok, músicas que escuta e tudo o que você costuma consumir diariamente. Não resista a esse exercício. É duro quando a verdade colide com o nosso coração, mas ela liberta! Seja forte para renunciar a tudo aquilo que tem bloqueado sua comunhão com Deus. Se você não tiver comunicação desimpedida com Deus, não terá recursos para vencer o pecado. Se alguma coisa faz você pecar, livre-se dela imediatamente.

3. *Reduza o tempo que passa nas redes sociais.* Elas sugam suas energias e são portas potenciais para pecados como inveja, fofoca e vaidade. Quanto tempo você passa on-line? Se somar os minutos — *e horas!* —, quem sabe descubra que se trata de uma quantidade razoável de tempo que poderia ser investida em coisas melhores. Cuidado com esse pequeno aparelho que pode ser uma bênção ou uma verdadeira maldição. É você quem controla como usá-lo. Equilíbrio e discernimento é tudo!

4. *Em que ambientes você tem estado?* Cometemos o erro de achar que tudo bem ir a determinados lugares, ouvir certos tipos de conversas e sair ilesas. Tudo bem ouvir o relato de uma amiga sobre seus "ficantes", tudo bem ouvir informações pessoais dos outros, tudo bem participar de conversas vulgares, tudo bem trocar mensagens "nada inocentes" com um rapaz... A verdade é que ambientes nos contaminam e nos moldam. Se você não pode mudar o ambiente, mude de ambiente! Saia de conversas, encerre mensagens, diga que não quer ouvir. Fuja!

5. *Segure a língua!* A língua é uma chama de fogo que, se não for domada, é capaz de contaminar a pessoa por inteiro e incendiar todo

o curso da sua vida (Tiago 3.3-11) O que você tem falado, Corajosa? O que tem falado sobre si e sobre os outros? Pecados como mentira, fofoca, reclamação, orgulho e palavras sujas muitas vezes estão na ponta de nossa língua. Jesus diz que a boca fala do que o coração está cheio (Mateus 12.34). Pense com cuidado no que tem falado. Suas palavras e a meditação do seu coração devem ser agradáveis a Deus (Salmos 19.14).

6. *Confesse pecados na hora!* O pecado sempre se levanta como uma barreira entre você e Deus. Quando pecar, arrependa-se e mude de atitude. Não deixe que o pecado crie raízes dentro do seu coração. Isso só envenena você. Em Cristo, você tem liberdade para ir até a Deus e confessar seus pecados sabendo que ele é fiel para perdoar e purificar. (Leia estes versículos: 1João 1.5-9; Salmos 32.3-5.)

7. *Pratique as disciplinas espirituais.* Dedique-se à oração, à leitura da Palavra, à meditação, ao jejum, à interação com o Espírito Santo. A graça transformadora do Pai lhe dará toda a capacitação de que você necessita.

8. *Desacelere!* Deus não nos criou para ficarmos com o coração sobrecarregado e ansioso (Lucas 22.34). Precisamos encontrar equilíbrio e leveza em nossas atividades. Talvez você esteja estudando para o vestibular ou tenha outras obrigações que parecem implorar pelo primeiro lugar no seu coração. Você sabe que precisa se dedicar, se esforçar, mas não permita que nada ocupe o centro da sua vida, a ponto de fazer você adoecer. Vivemos em uma geração corrida, ansiosa, estressada, e tem sido normal estar assim. Não é isso que o Senhor quer para nós. Desacelere, Corajosa! Chame Jesus para essa jornada. Mantenha suas prioridades em vista e viva com equilíbrio.

Acesse o QR code ao lado e escute a playlist que fizemos para você meditar no que conversamos neste capítulo.

4

Corajosa para abraçar meu propósito

por Maria S. Araújo

> E tudo o que fizerem, seja em palavra,
> seja em ação, façam-no
> em nome do Senhor Jesus,
> dando por meio dele graças a Deus Pai.
> *Colossenses 3.18*

Propósito. Uma palavrinha pequena comparada ao imenso rebuliço que pode causar dentro de nós, não é mesmo? Todas as perguntas habituais vêm à mente: para que eu nasci, por que nesta família, quais são meus talentos, como será o meu futuro, e assim por diante.

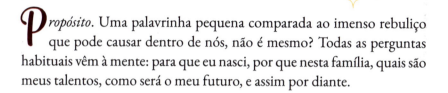

Circule o emoji que representa quanto você entende sobre seu propósito:

A verdade é que propósito não é um tópico simples. O assunto desperta dentro de nós sentimentos como insegurança e ansiedade, além de muitos questionamentos.

Adolescentes e jovens têm buscado respostas para esses questionamentos em diversas fontes: estudos, popularidade, aparência, redes sociais, relacionamentos românticos, escolha de profissão… a lista só cresce. *Mas, afinal, onde está o seu propósito de vida?* Para essa resposta, vamos precisar de uma pitada de fé e o coração aberto para ouvir a verdade de Deus.

Quero começar com a seguinte verdade:

Seu propósito não depende de quem você pensa que é, mas de quem Deus a criou para ser.

E mais: você não estará um dia preparada para exercer seu propósito. É Deus que está preparando você à medida que sua vida se desenrola.

Você não precisa se apoiar em sentimentos e emoções para descobrir e seguir o seu propósito. Não se trata de sentir, mas de acreditar que um Deus soberano e poderoso a criou com um propósito. Leia esta verdade por si mesma em Salmos 139.16 e preencha as lacunas:

> Tu me .... quando eu ainda estava no ventre; cada dia de minha vida estava .... em teu livro, cada momento foi .... quando ainda nenhum deles ....

Quero chamar sua atenção para a verdade de que Deus a chamou para uma vida integral com ele. Talvez você já tenha ouvido frases como "Deus vai cumprir o que prometeu", "Deus te escolheu" ou "Você tem um propósito". Eu já ouvi isso repetidas vezes e, para ser sincera, nem sempre entendi muito bem. Afinal, o que isso tudo significa? "As coisas de Deus são complicadas de entender ou eu sou meio devagar? Será que é demais pedir para destrinchar isso um pouquinho?" Essas foram algumas das minhas perguntas, por isso meu coração saltita no peito ao escrever este texto. Minha oração e esperança é que você encontre aqui verdades simples e diretas, para que entenda o seu propósito de vida e passe a viver com base naquilo que Deus a chamou a fazer.

Pela fé, já posso imaginar algumas barreiras se quebrando!

Muito bem, agora que começamos forte, vamos seguir por partes, okay? Que tal começar respondendo a uma simples pergunta?

O que você entende por "propósito"? Você sabe qual é o seu?

....

....

....

....

....

Princesa passar dificuldades? Conta outra!

Era uma vez uma garota órfã que perdeu não só os pais, mas também o lar, a terra onde vivia e até mesmo sua liberdade. Seu povo foi levado em cativeiro para uma terra estranha. Nem mesmo seu nome de nascimento, que lhe dava identidade e orgulho, podia ser usado. Ela foi criada por um primo mais velho, que a ensinou a ser fiel, leal e corajosa.

(Uma pausa para dizer que, ao ler a história dessa jovem garota, eu consigo imaginá-la se questionando sobre qual era o seu propósito de vida. Mas vamos lá, voltemos à história...)

Essa jovem foi escolhida para participar de uma espécie de "concurso de beleza". Foi selecionada para integrar o grupo de jovens mais belas da Pérsia, de onde o rei escolheria a próxima rainha. Até aqui parece cena de filme, não é mesmo? E eu aposto que você consegue imaginar de quem é essa história e o que acontece no final. Sim, estamos falando de Ester, e sim, ela se tornou a rainha!

> Corajosa, viver para Deus em tudo o que você faz é o seu propósito de vida!

Tudo parecia colorido como um arco-íris, mas então, depois que Ester se tornou rainha, seu povo precisou enfrentar um mandato de aniquilação decretado justamente pelo reinado ao qual ela agora pertence. A história só fica mais interessante, pois o rei nem sabia que a rainha era parte do povo que ele havia dado permissão para exterminar! *Ester foi usada por Deus para intervir com coragem e ousadia e salvar a vida de todo um povo.* Ufa, essa foi por pouco!

A história de Ester é relatada no livro do Antigo Testamento que carrega seu nome (vale muito a leitura completa!) e nos mostra uma jovem que poderia sentir pena de si mesma por suas circunstâncias ou aproveitar a oportunidade que recebeu em benefício próprio. Ela não fez nem uma coisa nem outra. Em vez disso, *Ester se mostrou corajosa ao viver uma vida para Deus em tudo o que fazia.* E não foi fácil. Ela foi desafiada a sair da sua zona de conforto.

O dicionário Aurélio define propósito como "o que se quer fazer, realizar; plano, intuito, alvo, objetivo". Eu, particularmente, amo a palavra "alvo", que traz a ideia de algo que, apesar de difícil, é possível de ser atingido de forma certeira.

Deus deu a você o Espírito Santo para ajudá-la nesse processo de atingir o alvo. *Você não é uma coitadinha! Você é uma princesa no reino mais importante que existe!* Ser parte da realeza traz responsabilidades, desafios e perrengues, viu? Não é tudo confortável como se vê nas capas de revistas ou nos vestidos glamorosos das princesas dos filmes. Não se trata de "vida de princesinha". Ser uma princesa significa viver para o reino, isto é, deixar a própria vida em posição de alerta para defendê-lo em caso de ataque. Significa doar-se na necessidade e estar pronta para ser usada em favor do povo de Deus. Por isso, repito: você é uma princesa no reino mais importante que existe! Está pronta para abraçar essa verdade?

> *Propósito: o que se quer fazer; realizar; plano, intuito, alvo, objetivo.*

No conto "Coração de guerreira" em *Corajosas 2*, Lana ouviu de sua avó que procurar o propósito em coisas terrenas, nas raízes familiares e na aceitação das pessoas não traria a resposta que ela tanto procurava. Somente o Senhor poderia fazê-lo. Portanto, a primeira coisa que você pode fazer, começando hoje, é viver para ele em tudo o que faz!

> Portanto, quer vocês comam, bebam ou façam qualquer outra coisa, façam tudo para a glória de Deus.
>
> **1Coríntios 10.31**

"O que é viver para Deus em tudo o que faço? O que isso significa na prática?" Venha comigo e vamos aprender um pouco mais sobre como viver o propósito, como acertar o alvo que é viver para Deus. Isso vai exigir a intencionalidade de uma princesa e a coragem de uma guerreira.

Vale a pena ficar desconfortável por Deus?

Por volta do oitavo ano do Ensino Fundamental eu tive uma amiga muito querida. Essa amiga, Jéssica, tinha várias perguntas sobre Jesus, e eu fiz o que podia para compartilhar o evangelho com ela. Jéssica começou a mudar de vida ao conhecer mais sobre Jesus. O problema é que seu grupo de amigas não estava feliz com isso.

Lembro como se fosse ontem. Certo dia, durante o recreio, recebi um recado para ir ao pátio e, ao chegar lá, fui cercada por um grupo de garotas nada satisfeitas com o novo padrão de vida de Jéssica. Resumindo a história, recebi ameaças, críticas e quase apanhei bonito naquela manhã, mas fui salva por Jéssica, que ficou sabendo da rodinha e veio me socorrer.

Essa foi a primeira vez que senti na pele o fato de que, quando decidimos viver uma vida para Deus, vamos ter embates pelo caminho. Eu estava com receio, desconfortável e até com medo de retaliações? Pode apostar! Eu parei de compartilhar Jesus com a minha amiga? De forma alguma!

Talvez, assim como eu naquela situação, você tenha medo de ser julgada e sofrer chacota. Talvez se preocupe por falar algo errado, por não saber o suficiente, ou algo do tipo. Não se encaixar, ser o diferente, não ser aceito — o medo de rejeição é um dos principais pavores na vida de um adolescente.

Mas pense comigo: se Deus está chamando você para compartilhar sobre ele, ele vai capacitá-la, vai lhe dar forças e, definitivamente, vai estar ao seu lado quando você se sentir sozinha nessa batalha. Corrie ten Boom, uma mulher simples que recebeu um chamado extraordinário, escreveu o seguinte: "Quando deixamos Deus usar as experiências de nossa vida, elas se tornam a preparação misteriosa para o trabalho que ele nos dará para fazer".

Você precisa tomar consciência deste fato: *A coragem de compartilhar Jesus vem quando você se coloca na posição de fazer isso.* Não espere ter coragem, não espere o momento perfeito, não espere ter o discurso mais elaborado. Deus nos usa quando pensamos que podemos fazer

> Nossa coragem pode ter um impacto eterno na vida de alguém.

algo em nome dele, e ele também certamente pode nos usar ainda que nos consideremos incapazes! Sim, vale a pena ficar desconfortável, não só para Deus, mas com Deus. Ele estará ao seu lado.

E quer saber de um segredo nada secreto? A Jéssica ama Jesus até hoje e o segue fielmente.

Se você já compartilhou Jesus com pessoas e não viu mudanças, tranquilize o seu coração. Sua tarefa é ser uma guerreira, e não o Rei que recruta os guerreiros. Nossa coragem — fazer mesmo com medo e sem saber se dará certo — pode ter um impacto eterno na vida de alguém.

Pense em cinco pessoas que você gostaria que conhecessem a Jesus e escreva o nome delas nos corações abaixo:

Ore por elas. Seja específica e peça a Deus que lhe dê criatividade para descobrir formas de compartilhar Jesus esta semana. Use as linhas abaixo para rascunhar as impressões que você sentiu de Deus sobre esse assunto:

....
....
....
....
....
....
....
....
....

Firme diante de opiniões contrárias? Por essa eu não esperava

Na animação *Mulan*, lançada pela Disney em 1998, a protagonista passa por momentos em que precisou se manter firme diante da opinião dos outros a seu respeito. Mulan não se encaixava, mas isso, em vez de enfraquecê-la, a deixou mais forte. Ela se mostrou uma guerreira disposta a lutar para mudar a situação mesmo quando a visão das pessoas sobre ela não refletia o que havia em seu coração.

Em "Coração de guerreira", Lana compartilha sua fé sobre Deus em público, no pátio da escola. No entanto, não estava preparada para o que viria a seguir. Ela não imaginou que ficar firme diante das opiniões contrárias seria um desafio tão imenso. As duas personagens têm algo em comum: elas precisaram ser ativas no que acreditavam e, mesmo em meio a desafios, permaneceram firmes e fiéis à sua própria voz.

Em João 16.32, Jesus nos dá uma palavra ao mesmo tempo inspiradora e desafiadora.

> Eu disse isso para que em mim vocês tenham paz. Neste mundo, vocês terão aflições; contudo, tenham coragem! Eu venci o mundo.

Paz. Aflições. Coragem.

Como ter paz quando as pessoas zombam de você por causa daquilo em que você acredita? Como ter coragem quando sabe que abrir a boca vai gerar rejeição e aflição?

Se olharmos somente com os olhos humanos, nosso foco estará na aflição, e não naquele que é o principal ponto dessas palavras de Jesus: a realidade de que ele venceu o mundo!

Jesus entregou a própria vida em nosso favor. Ele amou como ninguém, sofreu como ninguém... e foi exaltado como ninguém. *Ficar firme diante das opiniões contrárias, defendendo sua fé e seu amor por Jesus, poderá trazer sofrimentos e dificuldades momentâneas, mas trará também exaltação eterna.*

Você sabia que os vagalumes podem decidir acender e apagar sua luz quando bem desejarem? Essa curiosidade me lembrou o versículo no qual Jesus diz que uma lâmpada embaixo de uma vasilha não desempenha sua função de iluminar (Lucas 8.16). Você pode decidir esconder sua luz ou deixar que ela ilumine qualquer lugar para onde você vá. E algumas vezes a luz vai ser tão forte que causará incômodo nos olhos de alguns.

No entanto, quando você sabe quem você é, quando sabe qual é seu propósito, resistirá firmemente às zombarias pela sua fé. As dificuldades vão levá-la para mais perto de Deus e transformar sua fé em algo sólido, que não se quebra com facilidade. Deus vai lhe dar a força para discordar sem deixar de amar as pessoas à sua volta.

Não se esqueça de que Jesus não é o tipo de rei que envia os seus servos sozinhos para morrer por ele na guerra. *Ele é o primeiro a se sacrificar.* Ele vai na frente de seus soldados.

Vivendo o meu propósito intencionalmente

Não somos responsáveis por nosso nascimento, nem sabemos quando morreremos. Mas somos responsáveis pela forma como vivemos.

Viver intencionalmente é uma tarefa que exige esforço e dedicação. Agora que você entendeu que o seu propósito é viver para Deus em tudo o que faz, você precisará escolher entre ficar dentro ou fora da zona de conforto. Imagine uma borboleta. Se ela optasse por ficar dentro do casulo para sempre, aparentemente mais protegida do que se saísse voando por aí, ela limitaria a razão para a qual nasceu: polinizar plantas e colaborar com os ciclos de nutrientes presentes no ambiente — sem mencionar a beleza que ela espalha pelo mundo. Mas sair do casulo demanda esforço. É necessária uma boa dose de coragem e fé para enfrentar os desafios que vêm com o amadurecimento.

Em 2Coríntios 4.3, o apóstolo Paulo diz que se o evangelho que anunciamos está encoberto, é por que se destina àqueles que estão se perdendo. Se seus amigos não conhecem a Deus, pare de esperar que eles ajam como alguém que segue a Jesus. Não fique chocada quando alguém que não compartilha de sua fé toma decisões que não condizem com os seus valores. Ainda assim, você pode ser o instrumento de mudança que vai levar Jesus para as pessoas ao seu redor, oferecendo-lhes a oportunidade de embarcar nessa jornada com você.

Corajosa para abraçar meu propósito   **89**

Abaixo estão listadas formas pelas quais você pode ser mais intencional em seu propósito de viver para Deus. Que tal colorir as pétalas daquelas que você deseja pôr em prática?

Orar pelos meus amigos.

Aproveitar toda oportunidade para compartilhar Jesus.

Não esperar resultados (você planta e Deus faz nascer no tempo certo).

Construir relacionamentos reais.

Ser autêntico e mostrar na prática como viver minha fé (nada vai falar mais alto na vida dos seus amigos do que o seu exemplo de vida).

Começar um clube bíblico na escola, em casa ou no bairro.

Tomar consciência de que a vida é um ministério em todos os âmbitos.

Cultivar amizades que também amem Jesus.

Por volta dos nove anos de idade, descobri uma igreja perto da casa dos meus pais. Comecei a ir porque eu amava as histórias, as brincadeiras, os novos amigos. Mas após uma tragédia na minha família, tivemos de mudar de estado e voltamos a morar no Piauí. Aos onze anos, comecei a sentir muita falta de ir para a igreja, então comecei a pedir à minha mãe que me levasse. Um dia, ela finalmente aceitou. Naquela noite, orei a Jesus que entrasse na minha vida. A partir daquele dia, me envolvi nas atividades da igreja, lia a Bíblia e orava todos os dias antes de dormir. E foi assim até os dezenove anos, quando mudei de cidade para estudar na universidade.

Lá, eu fui desafiada na minha fé e precisei tomar decisões fora da bolha com a qual estava acostumada. Passei a me sentir sozinha e triste, imaginando Deus chateado comigo quando eu cometia erros. Até que, certo dia, num escritório da universidade, olhei ao redor e comecei a perguntar o que Deus queria da minha vida. Foi então que tudo mudou. Percebi que era boa em seguir as "regras" da religião, mas havia algo fundamental faltando em minha vida: eu não tinha um relacionamento pessoal com Jesus. *Comecei a enxergar Deus como um Pai em vez de um ditador de regras.* Eu não andava mais com medo, não me sentia mais sozinha. Finalmente estava livre. Hoje eu sei que sou uma filha amada de Deus e tenho prazer em passar tempo com ele. Sempre o consulto para tomar decisões, não por medo, mas porque desejo agradá-lo.

Essa é uma versão breve do meu testemunho. Quero desafiar você a escrever o seu também! Quero que você entenda o que Deus fez na sua vida, e quero que acredite que ele pode fazer muito também na vida de outros.

Vou lançar algumas perguntinhas aqui para ajudá-la a organizar os seus pensamentos, okay?

- ◊ Quando você começou a pensar em Deus na sua vida?
- ◊ Teve algum acontecimento que a levou a isso?
- ◊ Como você vê a Deus?
- ◊ O que Deus mudou na sua vida? Como imagina que seria a sua vida caso Jesus não fizesse parte dela?
- ◊ Como você vive sua vida agora?

Hora do testemunho

Use o espaço abaixo para escrever o seu testemunho. Lembre-se: cada pessoa que ouviu o chamado de Jesus tem um testemunho. Valorize o seu, pois foi a forma que Deus usou para trabalhar na sua vida.

Como glorificar a Deus com minha vida sendo jovem?

O que mais nos incomoda geralmente é aquilo para o qual Deus nos chama a fim de que tomemos uma atitude.

Olhe à sua volta. O que a incomoda? Talvez a atitude de alguns colegas para com alunos que não se enquadram na escola? A frieza de alguns cristãos ao seu redor? Mentiras, intrigas, desrespeito? Quem sabe você não aprecie a maneira como a banda toca na igreja? Às vezes se sente frustrada com o que sua geração consome nas redes sociais? *Já considerou que talvez esse incômodo seja parte do chamado para você tomar uma atitude?*

Eu cresci num contexto em que não se discutia abertamente a importância de guardar o coração para a pessoa certa. Isso provocou muitas dúvidas e inseguranças. Mais tarde, Jesus me ensinou essas coisas, mas eu sentia um incômodo, quase uma revolta, quando eu via meninas entregando o coração facilmente. Eu pensava: "Ah, como eu queria que elas soubessem que Deus tem mais para elas!".

Em vez de deixar esse pensamento me consumir, eu enxerguei uma oportunidade.

A decisão que tomei foi de discipular garotas, ensiná-las sobre quão preciosas elas são para Deus e como há o tempo certo para todas as coisas, incluindo o amor (Cântico dos cânticos 2.7). Deus me chamou para fazer algo a respeito do incômodo que eu sentia.

Muitas vezes, aquilo que nos incomoda representa um desafio para mudanças, na sua e na vida das pessoas ao seu redor. Já pensou se isso começa por você e se expande?

Ao presenciar uma atitude errônea de colegas, você pode fazer amizade com os que não sabem se defender. Ao ver a frieza de outros quanto à fé em Jesus, você pode viver uma vida de exemplo, motivação e alegria. Num mar de mentiras, escolha a verdade; de intrigas, a paz e a harmonia; de desrespeito, o amor ao próximo. Que tal juntar-se à banda da igreja ou fazer um teste para cantar? O que acha de postar um versículo nas redes sociais ou mesmo produzir um pequeno vídeo contando o que você tem visto Deus fazer ao seu redor?

Em *Corajosas 2*, Lana e seu primo Dudu se incomodavam com a visão dos colegas de escola sobre a fé e Deus. Mesmo se sentindo inseguros, incapazes e até envergonhados, ouviram o chamado que esse incômodo trazia.

O chamado para fazer aquilo que estava ao alcance deles: começar um clube de estudo bíblico na hora do recreio. Lana não sabia muito sobre teologia, Dudu muito menos, os dois não sabiam cantar ou tocar um instrumento. Mas eles usaram o dom da coragem vindo de Deus. Agiram apesar do medo.

Deus lhe deu dons e talentos, Corajosa. Eles estão aí dentro de você, mas você precisa estar disposta a ouvir e observar o que está acontecendo ao seu redor. *Use o que Deus lhe deu hoje.* Não espere o futuro chegar para fazer isso. Seu propósito é glorificar a Deus com o que você tem, e principalmente com quem você é nesta estação da vida. Não espere ser diferente. Alguém precisa de você do jeitinho que você é hoje!

> Muitas vezes estamos prontas para receber o desfecho que desejamos, mas não para receber aquilo que Jesus quer nos dar.

Paulo foi chamado para servir aos gentios, Pedro aos judeus, Ester aos hebreus. Eu, Maria, fui chamada para servir a jovens e adolescentes. E você?

Passe alguns minutos orando e refletindo. Peça a Deus que lhe mostre o que a incomoda ao seu redor. Faça uma lista do que ele lhe mostrar e, ao lado, descreva como você poderia ser usada para impactar essa situação de alguma forma.

👍	👎

Sim, eu quero viver para Deus... mas não entregar tudinho para ele

"Tenho medo de entregar o controle para Deus e ele me pedir algo complicado no qual eu vá fracassar e passar vergonha na frente dos outros."

Esse é um medo real de muitos jovens e adolescentes. Na minha jornada servindo como missionária nos últimos anos, tenho ouvido com frequência frases desse tipo. Abrir as mãos completamente e confiar a vida inteira a um Deus que vê o futuro não é mesmo algo simples para meros seres humanos como você e eu. A única coisa que conhecemos é o presente. Agora, imagina se Deus nos mostrasse o futuro? A ansiedade e desejo de controle nos levariam à loucura.

Em *Corajosas 2*, Lana mentiu para a sua família. Ela estava certa de que poderia manter a situação sob controle e que seu jeito de fazer as coisas era o melhor... Bem, ela estava errada. Deus não desenha linhas tortas para um fim honroso. O Senhor honra as nossas decisões tomadas com sabedoria. Como ensina Provérbios 19.21: "É da natureza humana fazer planos, mas o propósito do Senhor prevalecerá".

Muitas vezes estamos prontas para receber o desfecho que desejamos, mas não para receber aquilo que Jesus quer nos dar. Precisamos abrir as mãos para ele. Por isso é necessário entregar e confiar, não porque você tem toda a certeza e não vai mais se preocupar, mas porque a Palavra de Deus é verdadeira e nos promete que Deus cuida de todas as coisas.

> Não tenha medo, pois estou com você;
>   não desanime, pois sou o seu Deus.
> Eu o fortalecerei e o ajudarei;
>   com minha vitoriosa mão direita o sustentarei.
>
> **Isaías 41.10**

E agora? Como se manter firme e constante?

Vou repetir mais uma vez: seja intencional e aproveite as oportunidades. Em alguns dias você se sentirá desanimada, triste ou até abatida, mas lembre-se: você não é o que você sente. Tudo bem se sentir assim, mas não se permita *ser* assim. A verdade é que, muitas vezes, o inimigo é quem está tentando impedir você de fazer o que foi criada para fazer.

Há uma frase que a Vó Fa diz para a Lana que eu quero destacar aqui: *"Você está numa batalha espiritual. As dificuldades vão levar você para mais perto de Deus e transformar sua fé em algo sólido que não vai se quebrar facilmente"*. Tudo o que fazemos nesta terra tem um impacto espiritual que não conseguimos ver com os nossos olhos naturais.

O inimigo jamais fica feliz quando você escolhe ser uma guerreira do reino de Deus, comprometida em trazer luz para vidas e impactar as pessoas ao redor. Ele vai contar mentiras a seu respeito, vai colocar dificuldades em seu caminho, vai levantar outras pessoas para desmotivá-la. Por isso quero chamar a sua atenção para que ande bem próxima de Jesus, num relacionamento profundo por meio de oração e leitura da Palavra. Assim, a voz de Deus será tão alta em seu interior que você conseguirá distinguir entre a verdade de Deus e as artimanhas do inimigo.

Ah, e não tenha medo: o seu Rei é mais forte do que qualquer poder que existe. Você está do lado certo, Corajosa!

Uma notícia incrível é que Deus nos dá armas para lutar e nos proteger. Ele não nos deixa desamparadas, lutando por nós mesmas. É por isso que amo tanto a descrição da armadura do cristão em Efésios 6.13-17. Lana teve paz no seu coração quando descobriu que, embora viver para Deus seja como uma batalha, há armas à nossa disposição para usar nessa luta.

Descreva a função de cada elemento da armadura do cristão listada em Efésios 6.13-17:

....

De Corajosa para Corajosa

"Vó, meu propósito é Deus! É viver para ele em tudo o que eu faço."

Essa foi a conclusão a que eu, Lana, cheguei numa conversa de coração para coração com a Vó Fa. Essa senhorinha arretada e fã de doramas tem me ensinado tanto! Amo ter alguém na minha vida que conhece a Deus e que me fala a verdade sempre que preciso.

Eu estava confusa, sem saber para que tinha sido feita, se encontraria algum dia o senso de pertencer a alguém ou a algum lugar. Busquei o meu propósito em muitas coisas: nas raízes asiáticas da minha mãe, em hobbies, em amizades, e até burlei o meu caráter e menti para o meu pai, o que foi muito errado. Mas, finalmente, entendi que aquilo que tanto buscava estava bem debaixo do meu nariz. O meu conselho para você, Corajosa irmã e amiga, é: não perca tempo tentando elaborar um megapropósito para sua vida. Em vez disso, aproveite a oportunidade que está à sua frente. Faça aquilo que pode fazer, use os seus dons e talentos, mesmo que ache que não tem muitos.

Quero compartilhar com você um versículo que tem me ajudado muito a seguir:

> O Senhor cumprirá o seu propósito para comigo!
> Teu amor, Senhor, permanece para sempre;
> não abandones as obras das tuas mãos!
>
> **Salmos 138.8 (NVI)**

Que bom saber que fui criada com propósito e que não estou só nessa jornada de viver para ele. Glória seja dada a Deus, que usa a vida de uma simples garota como eu que o ama. Ah, e como ele me ama também!

Após navegar por diferentes perspectivas sobre propósito, vamos retomar o questionamento lá do início do capítulo?

Neste lado, descreva o que você aprendeu sobre propósito.	Neste lado, escreva o que você descobriu sobre o SEU propósito.

Você me acompanha em uma oração?

Jesus, obrigada por seu amor, por sua graça e por ser um Rei tão bom. Obrigada por me chamar para ser uma guerreira, mas preciso de sua ajuda, pois muitas vezes não sei como lutar pelo seu reino. Me dá força, sabedoria e criatividade para compartilhar o seu amor com outras pessoas. Quero viver para o Senhor em tudo o que eu faço e não deixar que o medo, a vergonha ou a insegurança me detenham. Em seu nome eu oro. Amém.

Corajosa Board

Se você acompanha Corajosas nas redes sociais, percebeu o quanto amamos criar *aesthetics* dos livros com imagens de cenários, personagens, frases e fofurices. Que tal você criar o seu próprio *aesthetic* para encorajá-la ao longo dos dias? Use o pacote de colagem que acompanha este journal e personalize esta área do seu jeitinho. Você também pode buscar imagens em revistas e sites para embelezar ainda mais seu Corajosa Board!

5

Corajosa para gostar do que vejo no espelho

por Arlene Diniz

> Eu te louvo porque me fizeste de modo especial e admirável.
> Tuas obras são maravilhosas!
> Disso tenho plena certeza.
>
> *Salmos 139.14 (NVI)*

Bianca ficou parada, fitando o resto do *brownie* nas mãos. De supetão, atirou-o no lixo e correu para o quarto, sentindo um aperto na garganta. Parou em frente ao espelho do guarda-roupa e, respirando ruidosamente, encarou a si mesma. Ela nunca seria bonita como Flávia. Nunca alcançaria o corpo modelado das influenciadoras famosas na internet. Nunca teria uma pele sedosa como as meninas de sua sala.

Sem conseguir conter as lágrimas, Bianca soprou para sua imagem refletida:

— Espelho, espelho meu, existe alguém mais... *feia* do que eu? ("Espelho do coração", *Corajosas 1*, p. 34)

É provável que não haja uma só menina debaixo do sol que nunca tenha vivenciado um episódio parecido com o que experimentou Bianca, nossa personagem de "Espelho do coração" em *Corajosas 1*. Em minha adolescência, passei por alguns. Você se sente esquisita, nada do que tem no guarda-roupa parece cair bem em seu corpo, acha seu cabelo uma grande piada de mau gosto... Enquanto isso, a influencer famosa posta uma foto acordando com os fios sedosos maravilhosamente no lugar, a pele macia como pêssego sem uma marca de cravo espremido e o sorriso tão branco quanto o de um comercial de pasta de dentes.

A discrepância entre o que vemos na tela do smartphone e no reflexo do espelho pode ser uma passagem só de ida para a terra da amargura. Ainda bem que Jesus oferece os bilhetes para a viagem de volta! Assim, sentadas na janela da condução do Pai, podemos contemplar que o padrão de beleza de Deus não se baseia em olhos azuis, nariz afilado ou barriga chapada.

Se assim fosse, todas seríamos como bonecas de produção em série, não seres humanos únicos e enriquecidos com diferentes características que expressam a criatividade — e a bondade! — de Deus.

Ao longo dos anos, a mídia criou um tipo de beleza e espalhou-o pelo mundo afora, conquistando mentes e corações imagem após imagem, filme após filme, propaganda após propaganda. O tempo todo recebemos instruções sobre como nos vestir, como nos maquiar, como nos portar para sermos aceitas. E a questão principal é: Aceitas por quem? A quem queremos agradar?

Somos filhas de um Pai amoroso e criativo. O relato do início do livro de Gênesis nos revela o multiforme padrão de beleza de Deus. Ele poderia ter criado o mundo em preto e branco e sem muitos detalhes, mas escolheu pintar o azul no céu, derramar a luz dourada sobre o sol, delinear os incontáveis traços das folhas nas plantas e, com sua fabulosa maestria, formar cada pessoa com uma variedade incontável de peculiaridades.

> **O padrão de beleza de Deus é não ter padrão**

Olha só que incrível: A fotógrafa romena Mihaela Noroc viaja ao redor do mundo para tirar fotos fascinantes de mulheres aleatórias para seu projeto The Atlas Of Beauty [O Atlas da Beleza]. Com seus retratos, ela busca registrar a diversidade natural da beleza feminina em todos os tipos de ambientes e culturas. Por meio do QR code ao lado, acesse o site e conheça esse projeto que demonstra a rica criatividade do nosso Criador. A fotógrafa também reuniu fotos de meninas de todas as origens e culturas no projeto Girls Of The World [Garotas do mundo], mostrando que todas as garotas são incríveis, cada uma do seu jeitinho. Siga o projeto no Instagram (@the.atlas.of.beauty) e veja como é impossível não admirar cada retrato minuciosamente!

Uma pressão injusta

Por meio dos registros de Mihaela Noroc podemos ver mulheres de diferentes países, culturas e idades, com traços e feições muito distintas. E cada uma delas foi projetada pelo Senhor. Corajosa, você consegue perceber que o padrão de beleza *física* de Deus é não ter padrão? É não ter uma fôrma igual na qual todas precisamos nos encaixar?

> — E essa história de "padrão" é uma palhaçada, para começo de conversa. Tentam colocar na cabeça da gente a todo custo que só é bonito quem tem o nariz assim, o cabelo assado, o peso até certo número...
> Bianca sentiu uma pontada.
> — Deus é criativo, minha filha. E ele fez você. Fez bilhões de mulheres diferentes. Você acha que um padrão igual é realmente o mais importante? Sai dessa! Ele não fez uma fôrma onde a gente tem que caber a qualquer custo, não. ("Espelho do coração", *Corajosas 1*, p. 44)

Cada vez mais produtos de beleza e procedimentos estéticos têm sido inventados. Uma promessa de beleza eterna e milhões de corações ansiosos, querendo seguir a última tendência — e, é óbvio, a indústria embolsando *muito* dinheiro.

Uma rápida pesquisa no Google e você encontrará diversas influencers e artistas que realizaram tantos procedimentos estéticos que acabaram todas por se parecerem umas com as outras. Ou até, em alguns casos, acabaram "estragando" a beleza natural que tinham por causa dos procedimentos.

Houve um tempo em que, influenciada pelo que via no Instagram, pensei em colocar lentes de contato nos dentes. Não há nenhum problema nisso, certo? A questão é que eu nunca havia considerado que houvesse grandes problemas nos meus dentes, até que, tendo visto tanta coisa sobre essa onda dos sorrisos perfeitos nas redes, quis fazer igual.

É isso o que as redes sociais fazem conosco: plantam falsas necessidades e nos induzem a querer coisas de que não precisamos.

Após muita pesquisa, vi que colocar as tais lentes geraria algum desgaste nos dentes e, se um dia precisasse removê-las, não conseguiria ter meus dentes como eram de volta. Desisti da ideia. Poucos anos depois, uma grande blogueira estava fazendo marquinhas em seus dentes perfeitos — com lentes, é claro —, porque a moda agora era ter um sorriso "natural".

Viu como a lógica da moda funciona? O que é lindo hoje amanhã pode ser descartável. Se focarmos nossos esforços em ser o mais linda possível segundo os padrões da sociedade, vamos sofrer. Porque 1) às vezes isso pode ser impossível, e porque 2) sempre sofreremos a pressão de não gostar de quem somos de verdade.

O que nos faz de fato feias?

Contemplar uma pintura e dizer que ela é feia ofende quem a pintou. Olhar para si mesma e não gostar do que vê é dizer para Deus que sua criação não é boa. E tudo o que Deus faz é bom (1Timóteo 4.4).

O problema é que existe um visitante mal-intencionado sempre rondando nossa vida, e desde que ele entrou no mundo tudo o que é belo ficou manchado. Você já sabe de quem estou falando, não é?

O pecado nos afasta de Deus (Isaías 59.2) e contamina nossa visão do outro, de nós mesmas e do Senhor. Em "Espelho do coração", enquanto estava rodeada pelas irmãs do círculo de oração, Bianca ouviu importantes conselhos. Vavá disse a ela que o que nos faz feias é o pecado, e não umas gordurinhas a mais. É o orgulho, a soberba, a fofoca, a mentira, a inveja... tudo isso vai apodrecendo nosso coração. Do que adianta ter uma aparência compatível com todos os padrões, se aquilo que vai durar para sempre — nossa alma e coração — não tem beleza alguma? Do que adianta nos preocuparmos tanto com a pele, o cabelo, o formato da testa ou do nariz, se nos esquecemos de embelezar o coração e a mente com boas virtudes que agradam a Deus?

A verdade é que a nossa imagem já está corrompida desde muito antes das redes sociais. Ela se perdeu e foi corrompida na Queda. O pecado deformou a imagem perfeita de Deus em nós muito mais do que uma harmonização facial malfeita.

Vaidade de vaidades, tudo é vaidade

Você já ouviu falar de Narciso? Ele é o protagonista de um clássico mito grego — um jovem que ficava olhando fixamente para sua imagem refletida em uma lagoa. Certo dia, como consequência disso, acabou se tornando uma flor.

Narciso gastava muito tempo olhando para si mesmo. Essa atitude só poderia produzir dois resultados:

> 1) Criar uma paixão intensa por si próprio.
> 2) Encontrar defeitos e ficar deprimido por não ser como gostaria.

Na lenda, ele começa a contemplar sua imagem por admirar demasiadamente a própria aparência. Então, acaba se achando tão especial que se apaixona por si mesmo. Esse é um risco que nós corremos quando colocamos muita atenção sobre o nosso "eu". Pensamos que somos importantes a ponto de investir tudo o que pudermos para ser ainda mais belas, arrumadas, cheirosas e admiráveis. Mesmo que para isso tenhamos de forçar a barra para que os pais comprem aquele brilho labial que viralizou no TikTok ou aquela calça mais cara da loja de departamento — ainda que eles não tenham condições para isso —, além de rejeitar enfaticamente qualquer roupa que julgamos estar "fora de moda".

Com isso não estou dizendo que você, Corajosa, não deva se vestir bem ou procurar ficar bonita. Sim, você deve fazer isso dentro das suas possibilidades. O problema é levar uma vida que se preocupa intensamente com o exterior e que pouco se importa com o valor real das coisas, o que pode acabar nos encaminhando para um poço fedorento de egocentrismo e vaidade.

Olhar muito para si mesma significa olhar pouco para o Senhor.

Precisamos tomar cuidado para que nossa aparência física não se torne um deus em nossa vida. Olhar muito para si mesma significa olhar pouco para o Senhor.

Outro risco que corremos ao gastar tempo demais olhando para nós mesmas é o de ficarmos deprimidas, sentindo autopiedade por não termos a aparência que gostaríamos de ter, com o rosto, o peso, a pele ou o cabelo ideal.

Recapitulando:

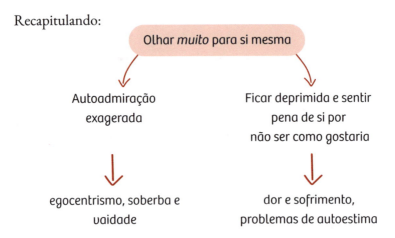

Seja admirar-se demais ou admirar-se de menos, ambos os problemas se devem a um foco demasiado no exterior. Tanto a menina que se acha a mais maravilhosa de todas quanto a que tem vergonha até de sair de casa por se achar inadequada nutrem dentro de si uma atenção exagerada à aparência. Mas veja só o que a Palavra de Deus nos diz:

> Porque, pela graça que me foi dada, digo a cada um de vocês que não pense de si mesmo além do que convém. Pelo contrário, *pense com moderação*, segundo a medida da fé que Deus repartiu a cada um.
> **Romanos 12.3 (NAA), grifos meus**

Pensar com moderação é ter uma avaliação equilibrada e realista de si mesma. Tanto externa quanto internamente. É conhecer seus pontos fortes (virtudes) e pontos fracos (defeitos). Será que você tem feito essa autoavaliação?

Sabe, Corajosa, não há problema querer melhorar algum aspecto físico seu. O problema é quando isso *move* a sua vida, entende?

Aqui vai uma listinha para ajudá-la a perceber se você anda se importando com o exterior de uma forma não saudável:

☐ Fico nervosa com meu rosto ou cabelo a ponto de dar ataques de raiva ou choro.

☐ Deixo de ir a lugares se não estou satisfeita com a minha aparência.

☐ Sempre uso a frase "Não tenho roupa!" na hora de me arrumar para sair.

☐ Me comparo a outras garotas o tempo todo.

☐ Não consigo viver sem maquiagem ou suportar a ideia de que alguém me veja sem ela.

☐ Faço pirraça para que meus pais comprem as roupas e acessórios que eu quero.

Se você marcou um ou mais itens da lista, significa que precisa clicar em "pausar", respirar fundo e decidir se é assim que quer continuar vivendo seus dias. Se a sua resposta for "não", tenho boas notícias. Você não está sozinha nessa luta!

Vendo-nos como Deus nos vê

As imposições de padrões do mundo e as chacotas com quem é diferente podem ser cruéis, eu sei. E entendo que essa pressão faz com que seja difícil para você compreender como é valiosa.

Mas graças a Deus por Cristo Jesus, que restaura nossa vida e tudo o mais! Ao entregar o coração a Cristo, devemos buscar aprender qual a perspectiva dele sobre as coisas. *"O que as Escrituras dizem a respeito disso?"* deve ser a nossa pergunta em todas as áreas da vida.

Nem sempre vamos encontrar versículos diretos sobre determinada questão, porque a Bíblia não é receita de bolo e sim uma bússola orientadora. Ainda assim, encontramos na Palavra de Deus as instruções que vão nos guiar por toda nossa estadia neste mundo. Ela nos ensina a ser sábias, prudentes, amorosas — isto é, a ser como Jesus.

E nisto reside a verdadeira beleza: em conhecer Jesus e refleti-lo em nossa vida. Ao se entregar naquela cruz, Jesus abriu caminho para que nossa imagem fosse restaurada. A imagem marcada pelo pecado agora teria a chance de ser redimida. E, através dele, podemos ser contentes com a porção que Deus nos deu nesta vida.

Nós devemos buscar a mente de Cristo (1Coríntios 2.16), a fim de que enxerguemos o mundo pela ótica dele, e não mais pela nossa. Nosso valor não está no que a mídia ou o espelho nos dizem, mas no que o Criador diz a nosso respeito. E ele nos diz que fomos não apenas feitas à sua imagem e semelhança, mas que também, através do sangue de Cristo, fomos purificadas e instruídas a investir na beleza que nunca vai acabar — e que na verdade só melhora com o tempo: *aquela que vem de dentro.*

> Não se preocupem com a beleza exterior obtida com penteados extravagantes, joias caras e roupas bonitas. Em vez disso, vistam-se com a beleza que vem de dentro e que não desaparece, a beleza de um espírito amável e sereno, tão precioso para Deus.
>
> **1Pedro 3.3-4**

Na adolescência, lembro de viver fazendo chapinha no cabelo — era o fim do mundo se a chuva me pegasse desprevenida! — e eu nunca esquecia o pó compacto e o lápis nos olhos antes de ir para a escola. Como qualquer garota, queria ficar bonita e apresentável. Porém, quando aos dezesseis anos entreguei a vida a Cristo, parei de ficar tão preocupada com certas coisas. Já não ligava em passar pó no rosto todos os dias. Eu não morreria se deixasse os brincos de argola em casa vez ou outra. Aos poucos, sem que eu me desse conta, comecei a me importar muito mais com o que Deus pensava a meu respeito do que com o que as pessoas pensavam.

> E nisto reside a verdadeira beleza: em conhecer Jesus e refleti-lo em nossa vida.

Calma! É claro que não deixei os pelos embaixo do braço crescerem, nem passei a andar descuidada por aí. Eu continuava gostando de me cuidar e passei a ver isso como um ato de glorificação a Deus, e não de ansiedade e pressão.

Apesar de a Bíblia dizer que a beleza é passageira (Provérbios 31.30), ela não *condena* a beleza. Nosso Deus aprecia o belo — afinal, ele não fez um planeta tão majestoso e lindo como o nosso? Mas a Palavra nos instrui para que a nossa *confiança* não esteja naquilo que é efêmero, que logo vai passar. Fazer isso é enganar a si mesma.

Eu de fato entendi que era amada pelo Senhor, vista por ele como uma joia rara, uma pecadora que ainda assim foi alvo de seu amor na cruz. Aprendi que era valorizada, vista e cuidada. Eu tenho valor não pelo que os outros dizem, mas por quem Deus diz que eu sou.

Brilho do Espírito Santo

Anos atrás, eu estava conversando com uma amiga numa van, voltando para casa após um encontro dos adolescentes da igreja na capital do estado. Não consigo me recordar o exato contexto do papo, mas ela disse algo que ficou gravado em minha memória para sempre: *"É tão nítido ver a diferença entre seu antes e depois de conhecer Jesus, Arlene. Não sei explicar, mas você ficou muito mais bonita com o brilho do Espírito Santo".*

Desde então, vira e mexe essas palavras me voltam à mente: a minha beleza vem do brilho do Espírito ou das minhas roupas e maquiagens?

Em Provérbios 15.13, lemos que o coração alegre embeleza o rosto. Isso porque a beleza exterior anda de mãos dadas com a interior. Quando a forma como você se enxerga muda, tudo ao redor muda também. Você não depende mais do elogio das pessoas para se sentir bem. Não precisa estar sempre alinhada à última moda, porque a moda é ser você: filha de Deus perdoada, redimida, cuidada e amada por seu Pai.

Um dia sua pele terá rugas, o cabelo ficará branco e ralo, o corpo irá enfraquecer. É então que você vai perceber que o tempo leva embora a beleza física como folhas ao vento.

> A beleza é enganosa, e a formosura é passageira;
> mas a mulher que teme ao Senhor será elogiada.
>
> **Provérbios 31.30 (NVI)**

Lembra da pergunta que fiz lá no início do capítulo? A quem queremos agradar? Como servas do Senhor, nosso maior objetivo deve ser glorificá-lo (1Coríntios 10.31). Quando nos esforçamos para ser belas para Deus em primeiro lugar, isso transparecerá em cada detalhe de nossa vida. Dessa forma, olhar-se no espelho já não é tão doloroso assim. Cuidar de si exteriormente torna-se um ato de louvor a Deus, que flui de um coração grato e temente a ele.

Nunca se esqueça de que tipo de mulher será elogiada pelo Senhor: aquela que teme a ele.

O que Deus diz sobre você

Lembro que comecei a ter problemas de autoestima aos doze ou treze anos. Todas as minhas amigas já tinham corpo de moças, e eu, com o corpinho mirrado, parecia uma criança de oito anos. Para completar, ainda precisava ouvir dos meninos da escola apelidos como "toquinho de amarrar jegue". Aquilo me entristecia um bocado, mas comecei a notar que uma colega da minha turma — vamos chamá-la apenas de Fulana —, um pouco mais gordinha e que por isso também sofria zoação, não perdia a oportunidade de escrever por toda parte frases como "A Fulana é maravilhosa", "Fulana: Htona da 604", e assim por diante.

Inspirada por ela, comecei a escrever nas divisórias do meu fichário elogios a mim mesma. "Arlene é linda", "Arlene é maravilhosa", e variantes. Tudo na tentativa de acreditar naquilo!

Hoje isso é motivo de riso para mim, mas para a Arlene de doze anos passando por sérios problemas de autoestima, foi uma ótima ferramenta. Eu escrevia elogios que partiam de mim mesma, mas agora quero convidar você a fazer algo muito melhor. A escrever o que Deus diz sobre você.

Em cada moldura abaixo representando um espelho, escreva como Deus vê você — e se maravilhe com a obra linda que você é.

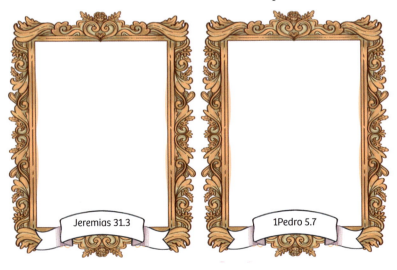

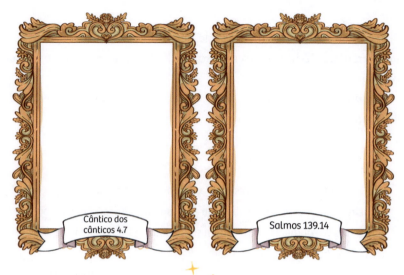

Não mexe com meu cropped!

Quando as meninas entram na fase da puberdade, o corpo não costuma tardar para demonstrar os sinais. A passagem do corpo infantil para o corpo adulto se dá na adolescência, e nem os garotos nem as garotas conseguem ocultar essa realidade.

Minha mãe costuma contar que antigamente, quando os seios começavam a crescer, muitas meninas enrolavam faixas ao redor do tórax para escondê-los o máximo que podiam. Havia um retraimento, um pudor e uma preocupação maiores quanto à exibição do corpo.

Ainda hoje, muitas meninas passam por essa fase inicial com vergonha também. Faz parte do processo. Porém, a diferença é que em nossa sociedade atual a exposição do corpo é incentivada. As roupas usadas pelas artistas, os looks expostos nas lojas, as fotos e vídeos nas redes sociais... Não demora muito para que as meninas queiram usar roupas que realcem seu corpo e suas curvas. Inclusive meninas cristãs.

Ah, fala sério, todo mundo está usando! Qual é o problema?

Nancy DeMoss e Dannah Gresh, no livro *Mentiras em que as garotas acreditam e a verdade que as liberta* (Vida Nova, 2014), dizem o seguinte: "Seu senso de moda deve refletir o que está dentro de você".

Esse é o problema.

O que está dentro de você? É o Espírito Santo? Se sim, isso vai fazer de você uma pessoa diferente em tantos níveis... até na forma como você se veste.

O cristão é diferente mesmo. Ele pensa diferente, enxerga diferente, *age* diferente. Não há como servirmos ao Senhor e querermos nos portar como quem não serve.

Quanto mais você mostrar, mais será vista. Essa é a lógica do mundo. Mas vamos ver o que a Palavra diz?

> Da mesma forma, quero que as mulheres tenham discrição em sua aparência. Que usem roupas *decentes* e *apropriadas*, sem chamar a atenção pela maneira como arrumam o cabelo ou por usarem ouro, pérolas ou roupas caras. Pois as mulheres que afirmam ser devotas a Deus devem se embelezar com as boas obras que praticam.
>
> **1Timóteo 2.9-10, grifos meus**

Uau. O look de sucesso de uma mulher de Deus são as boas obras que ela pratica! Vejamos agora o texto em outra tradução, a Nova Almeida e Atualizada:

> Da mesma forma, que as mulheres, em traje decente, se enfeitem com modéstia e bom senso, não com tranças no cabelo, ouro, pérolas ou roupas caras, porém com boas obras, como convém a mulheres que professam ser piedosas.

Se enfeitem com modéstia e bom senso. Isso é o que a Palavra orienta às mulheres a respeito de suas vestimentas. A modéstia procura não atrair a atenção para si mesma, nem se mostrar de maneira inconveniente.

A mulher modesta sabe que seu corpo é habitação do Espírito Santo (1Coríntios 3.16-17), por isso ela procura cuidar de seu corpo e honrá-lo por isso. Ou será que estamos pegando a morada do Espírito e fazendo dela uma vitrine para exibição e provocação de desejo nos outros?

E, não, esse princípio não é só para as mulheres adultas, mas começa na infância e adolescência. Eu, por exemplo, já fui a adolescente que se sentia bonita quando usava aquele vestido colado marcando o corpo e recebia olhares dos garotos por isso. Quando eu entendi que isso só me fazia parecer um objeto e não uma garota que era templo do Espírito Santo, comecei a repensar o que eu vestia.

Será que você gostaria de atrair um rapaz por suas curvas ou por seu coração? Seu corpo não é exposição para ficar em vitrine. *Ele deve ser como uma flor preciosa guardada no jardim de Deus.* Um garoto que vale a pena vai se apaixonar por quem você é, pela sua beleza pura, não por pedaços provocantes do seu corpo.

> *Será que estamos pegando a morada do Espírito e fazendo dela uma vitrine para exibição e provocação de desejo nos outros?*

> A mulher bonita, mas indiscreta,
> é como anel de ouro em focinho de porco.
>
> **Provérbios 11.22**

Uma garota modesta não quer chamar atenção pela finura de sua cintura ou pelo tamanho de seu bumbum. Ela não quer exibir-se. Porque ela sabe que o nosso exterior reflete o que está dentro de nós.

Aqui vai um desafio para você:

Cada vez que for comprar uma roupa, pense: esta peça condiz com alguém que tem o Espírito Santo? Eu a usaria se Jesus estivesse no mesmo lugar que eu?

Obs.: Ele está.

Três maneiras de embelezar seu coração

Falamos muito sobre cultivar a beleza que vem de dentro, e a maneira de fazer isso é buscando ser como Jesus!

> Portanto, sejam imitadores de Deus, como filhos amados.
>
> **Efésios 5.1**

Muito bem! E como Jesus é?

Dentre muitas outras coisas, ele é...

1. Rico em bondade (Romanos 2.4; Tito 3.4)
2. Cheio de misericórdia (Mateus 9.36; 14.14)
3. Manso e humilde (Mateus 11.29; Marcos 10.45; Filipenses 2.1-11)
4. Paciente (Romanos 2.4; 1Timóteo 1.16)
5. Generoso em perdão (Lucas 17.3-4; Colossenses 3.13)

Dicas práticas da Bianca para você ser como Jesus

Oi! Tudo bem? Pedi licença para entrar neste texto e dar umas dicas práticas sobre como tornar-se mais semelhante a Jesus. Vocês me conhecem bem e sabem como eu tive que trilhar um caminho árduo até entender que não poderia colocar minha confiança na minha aparência, nem no que as pessoas falavam sobre ela. Ao entender a verdadeira beleza, percebi que precisava aprender e agir de modo a revelar a luz do Senhor através da minha vida.

Então, vamos lá!

Dica nº 1: Jesus sempre está pronto para fazer o bem. Como você pode fazer isso no seu dia a dia?

✦ Lavando a louça para sua mãe antes que ela peça.

- Oferecendo-se para ajudar alguém que esteja com dificuldade numa matéria na escola.
- Ajudando na cantina da igreja.

Dica nº 2: Nosso Senhor é cheio de misericórdia e olha com cuidado e amor para os feridos e os que sofrem. Como você também pode fazer isso?

- Sugerindo a seus líderes do grupo de adolescentes da igreja que façam uma gincana para a arrecadação de alimentos, a fim de entregá-los em alguma casa de recuperação, asilo ou abrigo de crianças.
- Orando com os idosos da sua igreja. Eles vão se sentir amados e adorar compartilhar histórias com você.

Dica nº 3: A Bíblia nos diz que Jesus é manso e humilde de coração. Aí vão algumas dicas para ser como ele:

- Sempre pense antes de falar. Pese como suas palavras podem machucar os outros.
- Não responda com rispidez a seus pais (e nem a ninguém). Em vez disso, procure falar com calma e amor.

Para ser como Jesus é preciso estar cheia dele. Então busque-o, Corajosa! Ele está sempre a uma oração de distância.

A mulher que quero ser

Às vezes gosto de pensar na mulher que quero ser no futuro. Quero poder olhar para trás e me orgulhar (no bom sentido) da mulher que Deus me tornou, alguém que marcou as pessoas à minha volta com amor e deixou um legado de cuidado e honra.

E você? Que tipo de mulher quer ser no futuro?

(Sugestão: Ouça a música "Lovely", da cantora Hollyn, enquanto pensa e escreve sobre isso.)

....

....

....

....

....

....

....

Corajosa, leia novamente o que você escreveu. Sabia que as suas ações hoje começam a construir esse futuro? Mas não se preocupe. Se você estiver ligadinha em Jesus, ele vai ajudá-la em cada passo da jornada! É o brilho dele que nos faz belas de verdade, lembra?

> Quem encontrará uma mulher virtuosa?
> Ela é mais preciosa que rubis.
>
> **Provérbios 31.10**

6

Corajosa para enfrentar os desafios de um mundo nada encantado

por Thaís Oliveira

> Mas agora, ó Jacó, ouça o Senhor que o criou;
> ó Israel, assim diz aquele que o formou:
> "Não tema, pois eu o resgatei;
> eu o chamei pelo nome, você é meu.
> Quando passar por águas profundas, estarei a seu lado.
> Quando atravessar rios, não se afogará.
> Quando passar pelo fogo, não se queimará,
> as chamas não lhe farão mal.
> Pois eu sou o Senhor, seu Deus,
> o Santo de Israel, seu Salvador.
>
> Isaías 43.1–3

Um mundo sem felizes para sempre

"*E eles foram felizes para sempre...*"

Meu peito chegava a apertar toda vez que eu lia essa frase. A Thaís de oito anos, os olhos brilhando e os cachinhos voando por cima dos ombros, fechava aquelas páginas gastas só para imaginar como seria viver feliz para sempre... Afinal, o que acontecia com as princesas depois que o mal era derrotado? Que aventuras travariam ao lado de seus príncipes? Perdi muitas horas com a cabeça na lua pensando nas possibilidades, viu?

Não sei se foram todos aqueles contos de fadas ou os filmes hollywoodianos, mas meu coração romântico sempre ansiou por um "FINAL FELIZ". Eu também queria vencer os vilões da minha jornada e encontrar a felicidade. Queria sorrisos que esmagassem as bochechas, fogos de artifício reluzindo no céu, sonhos realizados e, no tempo certo, um príncipe para chamar de meu.

À medida que fui crescendo, porém, aprendi que na vida real *ninguém é feliz para sempre*. Tem sempre uma alma caridosa (às vezes nem tanto) para nos lembrar disso, não é? Como você viu no capítulo 1, a escolha de Adão e Eva no Jardim do Éden de comer do fruto proibido abriu as portas para que o pecado e a morte entrassem no mundo, trazendo inúmeras incertezas e dores para a humanidade.

Podemos não encontrar aquela frase clichê dos contos de fadas em nossa própria história, mas temos algo em comum com as princesas que tanto amamos: *todas nós enfrentamos nossa própria dose de desafios.*

Em meu conto "A fera sou eu", de *Corajosas 1*, Isabela viu seu mundo virar de cabeça para baixo quando a mãe morreu tragicamente em um acidente de carro. A perda despedaçou o coraçãozinho de Bela, que passou a viver em um mundo cinza, sem muito espaço para sorrisos e celebrações.

Os anos se passaram, mas a dor de Bela permaneceu. Seu coração ainda ficava apertado quando pensava na mãe, como se uma mão o comprimisse com força. Então, Bela encontrou nos livros um refúgio para esconder-se da dor. Eles se tornaram uma porta mágica para um mundo onde a cor, os sorrisos e o "felizes para sempre" ainda eram possíveis. Assim como o velho guarda-roupa que conduzia a pequena Lucy para Nárnia (agora você sabe de onde veio a inspiração para o nome da gatinha da Bela!), os livros levavam Bela para uma realidade paralela, na qual nada, aparentemente, poderia roubar sua paz.

No entanto, aquelas histórias, por mais incríveis que fossem, não eram o suficiente. Não tinham o poder de salvar Isabela. O gosto amargo voltava à sua boca sempre que ela fechava um calhamaço e a solidão ressurgia ao seu lado.

Nesses dias de tempestade, uma pergunta não deixou os lábios de Isabela: "Por quê?". Ela não conseguia compreender como um Deus tão bom pôde permitir que a vida de sua mãe neste mundo chegasse ao fim...

> Sinceramente, não conseguia ver um propósito na morte de minha mãe. Por que Deus planejaria a morte de alguém que ele amava e que nós também amávamos, só para nos ensinar alguma coisa? E como nossa vida poderia melhorar, se nenhum de nós conseguia viver sem ela? A melhor chance que a nossa família tinha de permanecer unida e temente a Deus, era se a mamãe estivesse aqui. Ela era a coluna da nossa casa. Era o coração, a paciência, o sorriso e o consolo. ("A fera sou eu", *Corajosas 1*, p. 194-195)

Todas nós enfrentamos desafios que podem, uma hora ou outra, nos levar a questionar a Deus. Assim como a Bela, já me vi presa em um barquinho minúsculo, sendo lançada para lá e para cá por ondas avassaladoras. Em alguns momentos, foi impossível não perguntar a Deus por que passar por aquilo era necessário. A pergunta ganhou vida em meus lábios quando vi minha mãe adoecer, quando o casamento dos meus pais chegou ao fim após anos de conflito e quando me dei conta de que meu relacionamento com meu pai era muito diferente do que eu sonhava que fosse...

Pode ser que neste exato momento você também se sinta presa em um desses barquinhos. O mar está agitado e as ondas batem contra o seu rosto, endurecendo o seu coração e fazendo você duvidar de que Deus é mesmo bom. Este capítulo foi preparado com muito carinho para equipar você de modo que consiga lidar com os desafios da jornada e provar do cuidado do Pai mesmo durante as piores tempestades.

Um porto seguro

Toda vez que um "Por quê?" angustiado escapa de seus lábios, ele é ouvido por Deus. Nem sempre, contudo, a resposta que você tanto deseja ouvir chegará. Aprendi com uma das minhas heroínas da fé favoritas, Elisabeth Elliot, que existem momentos em que o Senhor não nos dará as respostas que tanto desejamos.

No entanto, isso não significa que fomos abandonadas ou que Deus não se importa. Pelo contrário. Se enfrentar o sofrimento ou os desafios da vida fosse como subir em um barquinho, o Senhor ocuparia um dos assentos ao seu lado, com toda a certeza. Quer ver?

Leia com atenção as palavras de Deus abaixo e grife o que chamar sua atenção:

> Pode a mãe se esquecer do filho que ainda mama?
> Pode deixar de sentir amor pelo filho que ela deu à luz?
> Mesmo que isso fosse possível,
> eu não me esqueceria de vocês!
> Vejam, escrevi seu nome na palma de minhas mãos;
> seus muros em ruínas estão sempre em minha mente.
>
> **Isaías 49.15-16**

Qual é a promessa que o Senhor fez a Israel nessa passagem?

....

....

....

....

....

Sabia que essa promessa vale para você também? Pois é. E essa não foi a única que ele fez. Separei uma listinha para você conferir. Procure as passagens em sua Bíblia, leia com atenção e registre abaixo as promessas que encontrar:

Texto bíblico	Promessas de Deus
Josué 1.9	
Isaías 41.10	
Jeremias 29.11	
Mateus 28.20	

Deus nunca prometeu dias fáceis, mas ele de fato nos garante sua presença. Sempre que um desafio bater à porta de sua casa, tenha certeza de uma coisa: *Deus está com você.* Ao olhar para o caos à sua volta, você pode até se sentir sozinha, mas não está. Você foi gravada nas palmas das mãos do Criador do universo e, eu garanto, não há lugar melhor para estar.

Não acredita em mim? Voltemos a Elisabeth Elliot. Após poucos anos de casamento, seu marido, Jim Elliot, foi morto na reserva indígena Auca. Eles tinham se mudado para o Equador para pregar o evangelho, mas Elisabeth viu seu mundo ruir com a morte do marido. Em meio ao luto, o Senhor trouxe à sua memória a passagem que você leu no início deste capítulo: "Quando passar por águas profundas, estarei a seu lado. Quando atravessar rios, não se afogará" (Isaías 43.2).

Em *O sofrimento nunca é em vão* (tenho certeza de que a Bela amaria ler esse livro!), Elliot narra como Deus se fez presente em sua vida naquele momento de dor. Ele não trouxe respostas imediatas como ela tanto desejava, mas lhe trouxe uma pessoa: Jesus, aquele que não só vê nossas dores e aflições, mas que também sabe muito bem como é senti-las.

> Séculos antes de Jesus nascer, o Senhor revelou ao profeta Isaías quais seriam os desafios enfrentados pelo Messias. Em Isaías 53, é possível conferir uma lista longa de dores e aflições que o nosso Salvador enfrentaria. Entre elas estava não só levar sobre si nossos pecados e morrer em nosso lugar, mas também sofrer injustiça, rejeição e zombaria. Todas essas dores se cumpriram por amor a você!

Você já parou para pensar nisso? *As marcas nas mãos de Jesus são um lembrete do quanto o nosso Salvador sofreu!*

Mesmo sofrendo com a morte do marido, Elisabeth permaneceu na reserva indígena em que morava e deu continuidade, junto com a filhinha, ao trabalho missionário. Dois anos depois, ela foi morar com os índios que mataram seu marido e compartilhou com eles o amor de Jesus. Que coração corajoso, não é mesmo? Ela não só os perdoou, mas também os serviu!

Talvez você imagine que, depois de lidar com uma dor tão terrível, a vida de Elisabeth tenha finalmente se assentado e ela não tenha sido surpreendida com mais nenhuma notícia ruim. Ela merecia um descanso, concorda? Mas os desafios não acabaram. Ao longo da vida, Elisabeth travou inúmeras outras batalhas, como enfermidades e a morte de entes queridos. Ainda assim, ela escreveu:

> "Eu conheço aquele que está no comando do universo. Onde ele tem o mundo inteiro? Em suas mãos. E é nelas que estou."[*]

---

[*] Elisabeth Elliot, *O sofrimento nunca é em vão* (São José dos Campos, SP: Fiel, 2020), p. 61.

Como a Isabela, muitas pessoas imersas em suas dores e sofrimentos podem viver à procura de uma ilha, de um porto seguro em meio à tempestade. Mas a estadia na ilha sempre tem um prazo, e a distração nunca é suficiente para fazer a dor ir embora de vez. O que a minha Bela precisava era enxergar a luz do farol que podia guiá-la até a costa em segurança.

Jesus é a luz que nos guia entre as ondas até o continente. Quando focamos o olhar no farol e nos permitimos confiar no Senhor, crendo que ele permanece no controle de todas as coisas, podemos experimentar uma paz que excede todo entendimento (Filipenses 4.7). E, nesse processo, aprendemos as lições mais preciosas de nossa vida — aquelas que são peneiradas e refinadas no fogo, como o ouro.

Elisabeth Elliot garante que as lições mais preciosas que aprendeu com o Aba foram geradas em seus dias mais cinzas: "Dessas águas mais profundas e dessas chamas mais ardentes, vieram as lições mais profundas que eu sei sobre Deus".*

Enfrentando a fornalha

Sadraque, Mesaque e Abede-Nego viviam na Babilônia quando o rei Nabucodonosor ordenou a construção de uma imensa imagem de ouro. No dia em que a estátua foi erguida, o rei convocou todos os homens importantes do reino para que ficassem em pé diante dela, inclusive os três jovens judeus. Assim que instrumentos musicais fossem tocados, eles deveriam se prostrar e adorar a imagem. Quem ousasse desobedecer seria lançado em uma fornalha em chamas.

Aqueles três jovens haviam sido levados de Jerusalém para a Babilônia junto com Daniel, após os babilônios invadirem a cidade e dominar o povo de Deus. Os quatro foram conduzidos à corte para fazer uma espécie de curso de preparação a fim de ocuparem um papel no governo, intermediando a relação entre os babilônios e os israelitas. Em resumo, esses jovens viram sua vida mudar por completo.

Então, quando os instrumentos tocaram na inauguração da estátua, para o espanto geral os três foram os únicos que permaneceram de pé. Quando soube disso, Nabucodonosor ficou furioso! Mandou chamá-los

---

* Elliot, *O sofrimento nunca é em vão*, p. 21.

e ordenou que se prostrassem assim que os instrumentos fossem tocados, senão seriam lançados imediatamente na fornalha ardente. Cheio de si, o rei questionou: "E então, que deus será capaz de livrá-los de minhas mãos?" (Daniel 3.15)

A ameaça de um monarca tão orgulhoso poderia ter feito aqueles jovens se dobrarem, mas veja só qual foi a resposta deles:

> Ó Nabucodonosor, não precisamos nos defender diante do rei. Se formos lançados na fornalha ardente, o Deus a quem servimos pode nos salvar. Sim, ele nos livrará de suas mãos, ó rei. Mas, ainda que ele não nos livre, queremos deixar claro, ó rei, que jamais serviremos seus deuses ou adoraremos a estátua de ouro que o rei levantou.
>
> **Daniel 3.16-18**

Algo nessa resposta chama a sua atenção, Corajosa? O que é?

....
....
....
....
....
....
....
....
....
....
....
....
....
....

Duas coisas saltam aos meus olhos:

1. Esses rapazes sabiam que Deus tinha poder para salvá-los.
2. Eles escolheram permanecer fiéis ainda que o Senhor não trouxesse a salvação.

Será que teríamos a mesma coragem?

A atitude daqueles rapazes enfureceu tanto o rei que ele ordenou que a fornalha fosse aquecida sete vezes mais. Estava tão quente que os soldados que os conduziram foram mortos pelas chamas!

Imagino o rei cerrando os olhos para vigiar os jovens judeus serem reduzidos a cinzas... Seu queixo deve ter caído quando ele viu não só os três lá dentro, mas também um quarto homem de aparência sobrenatural! Ao entender que o Deus de Israel havia protegido aqueles rapazes, o rei ordenou que fossem retirados da fornalha. E mais: louvou ao Deus de Israel!

> Então Nabucodonosor disse: "Louvado seja o Deus de Sadraque, Mesaque e Abede-Nego! Ele enviou seu anjo para livrar seus servos que nele confiaram. Eles desafiaram a ordem do rei e estavam dispostos a morrer em vez de servir ou adorar qualquer outro deus que não fosse seu próprio Deus".
>
> **Daniel 3.28**

Que lições preciosas você consegue extrair desse relato? Coloque-se não só no lugar dos três jovens, mas também na pele do rei.

....

....

....

....

....

....

....

....

....

....

....

....

Essa passagem sempre me lembra que, por mais que tenhamos fé e clamemos, *há momentos em que o Senhor não impedirá que enfrentemos a fornalha.*

A Bíblia está recheada de histórias assim:

◊ José foi vendido como escravo pelos próprios irmãos.
◊ Daniel foi lançado em uma cova cheia de leões.
◊ O apóstolo Paulo foi desprezado, açoitado, apedrejado e encarcerado (e mais uma lista enorme de provações, coitado!).

Diante de tudo isso, você pode ter certeza de uma coisa: *o Senhor nunca permite que a nossa passagem pela fornalha seja em vão*. Mesmo que você não entenda de imediato, há um propósito para o fogo ardente. Sempre há.

◊ Após anos de sofrimento e amadurecimento no Egito, o Senhor preparou José para uma missão desafiadora: governar aquela nação e salvar o povo israelita da fome.
◊ Daniel saiu com vida da cova e continuou testemunhando da grandeza de Deus na Babilônia.
◊ A vida de Paulo não se tornou mais fácil, mas ele encontrou contentamento no Senhor e foi um dos maiores propagadores do evangelho de todos os tempos.

Como diz Elisabeth Elliot, o sofrimento nunca é em vão. Nunquinha!

Equipadas para a batalha

Diante dos relatos desses heróis da fé, você talvez se sinta pequena e fraca. Talvez pense: "Quem sou eu perto deles? Eles conseguiram, eu não conseguiria!". Mas sabia que todos eles eram seres humanos como você e eu? Na verdade, o que eles tinham é algo que você também pode ter: *eles conheciam a Deus de verdade*.

É difícil — para não dizer impossível — confiar em alguém que você não conhece. Aposto que você não contaria um segredo superprecioso para aquela menina da sua turma que não vai muito com a sua cara. Não vamos querer correr esse risco, ainda que seja uma coisa pequena.

Confiar exige crença. Você só confia numa amiga porque acredita que ela é sincera e fiel. Com Deus não é diferente. Aqueles homens arriscaram a vida em nome da fé, porque criam de todo o coração que Deus permanece no controle de tudo e é digno de confiança. Elisabeth Elliot chama essa atitude de "*descansar no caráter de Deus*". Apenas filhos que sabem quem seu Pai é estão aptos a descansarem plenamente nele.

Por isso, uma das maiores armas que podemos carregar conosco é a intimidade.

É a intimidade que gera conhecimento e confiança. As filhas que desfrutam de um relacionamento próximo com o Pai podem confiar que estarão realmente seguras em suas mãos.

Pense na sua melhor amiga (ou melhor amigo). Como vocês se tornaram tão próximos? Dê um check nas opções abaixo que mais se aproximam do caminho que vocês percorreram para construir essa amizade.

> **Intimidade: relação próxima, amizade íntima, familiaridade.**

☐ Passaram pouco tempo juntos.
☐ Se viam com frequência.
☐ Conversavam apenas uma vez por semana.
☐ Estavam sempre se falando.
☐ Entre as conversas, descobriram alguns gostos em comum.
☐ Você se sentiu tão à vontade, que não levou muito tempo para compartilhar segredos e desafios.
☐ Até hoje você não consegue se sentir à vontade para se abrir.

Toda amizade precisa de tempo e dedicação de ambas as partes para que um vínculo seja construído, não é mesmo? Para se tornar íntima de Deus também. É preciso que você dê alguns passos para conhecer o Senhor. Talvez você se lembre que, no conto "A fera sou eu", alguns hábitos foram essenciais para que a Bela voltasse a confiar plenamente no Senhor e desfrutasse do seu cuidado.

✧ Isabela passou a ler a Bíblia com frequência e a conversar com Deus.
✧ Por anos, ela havia preferido se esconder nos livros, mas Deus a aproximou de pessoas boas, que não desistiram de construir uma

amizade com ela. Essas amizades foram essenciais para reaproximar Bela do Senhor.

✧ A convite de Adam, Isabela participou de uma ação social realizada pela igreja do rapaz, o que a estimulou a voltar a viver em comunidade e a servir às pessoas com suas habilidades.

Pequenos hábitos podem fazer a diferença no seu relacionamento com Deus e fortalecê-la para as tempestades da vida.

Um dos hábitos que mudaram a minha vida foi reservar um tempo para a prática devocional. Buscar o Senhor diariamente me permite conhecê-lo melhor — ou, usando uma parábola de Jesus, me permite construir minha casa sobre a rocha (Mateus 7.24-29) —, o que me ajuda a permanecer firme mesmo quando as ondas agitam meu barquinho.

Outras "armas" também podem nos ajudar a enfrentar os desafios e incertezas da jornada. Veja na página a seguir alguns equipamentos favoritos da Isabela:

O que é o devocional?

O devocional nada mais é do que separar um tempo na sua rotina para buscar a Deus. Muita gente corre atrás da receita perfeita (como se estivéssemos fazendo o bolo perfeito de chocolate), mas não existe algo assim. Você é livre para fazer esse momento do jeitinho que preferir. Ainda assim, depois de alguns anos fazendo devocional e estudando o tema à luz das Escrituras, percebi que algumas coisas são essenciais: ler a Bíblia, meditar (ou seja, pensar no que você leu) e orar. Se eu fosse criar uma receita, esses itens não poderiam faltar! Para entender um pouco mais sobre o que é o devocional e sua importância, bem como conferir alguns conselhos testados por nós (todas as autoras de Corajosas), você pode baixar o nosso *Guia devocional para corajosas* através do QR code ao lado.

Dicas da Bela para enfrentar dias difíceis

- Conheça as promessas de Deus e seu caráter.
- Passe tempo de qualidade com o Pai e torne-se íntima dele.
- Creia que Deus permanece no controle, mesmo nos dias em que tudo parece dar errado.
- Não tenha medo de levar suas dores a Deus e deixar que ele cure suas feridas.
- Treine seus olhos para enxergar a bondade de Deus. Por anos, eu pensei que ele tivesse se esquecido da minha família, mas na verdade o Senhor estava cuidando de nós o tempo todo. Ele nos presenteou com bons amigos, trouxe socorro quando meu pai estava em apuros e não desistiu de mim. Ele é mesmo um Pai incrível (♥)!
- Lembre-se: nenhuma batalha é em vão. Deus pode gerar lindos propósitos mesmo em nossos momentos mais difíceis. A avó do Adam ama dizer que flores brotam no deserto quando a gente menos espera! 😊

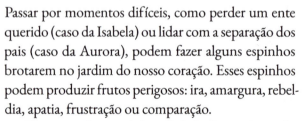

Cuidado com os espinhos

Passar por momentos difíceis, como perder um ente querido (caso da Isabela) ou lidar com a separação dos pais (caso da Aurora), podem fazer alguns espinhos brotarem no jardim do nosso coração. Esses espinhos podem produzir frutos perigosos: ira, amargura, rebeldia, apatia, frustração ou comparação.

Conversando com Adam, Isabela chegou à conclusão de que os anos em que se viu presa aos sentimentos gerados pela morte da mãe a tornaram uma garota egoísta, que preferia se esconder em meio aos livros a procurar ajuda. Assim como o jardim de sua mãe, nos fundos da casa, foi tomado pelas ervas daninhas e caiu no esquecimento, o coração da garota deixou de ser um terreno fértil onde a fé, o amor e a esperança poderiam brotar. *Presa em si mesma, Isabela se tornou a própria fera de sua história.*

Quando a Bela, com a ajudinha do Espírito Santo e de Adam, apresentou seu coração a Deus, ele, como um Bom Jardineiro, removeu os espinhos e começou a curar as feridas. O Senhor trouxe beleza, cor e vida para Isabela.

> Não há nada de belo em nós, Isabela. Absolutamente nada. Assim como este jardim, sem os devidos cuidados, a beleza se vai, e só resta a fera. A verdadeira beleza está em Jesus, e só nele a fera que há em nós pode ser redimida e tornar-se bela. ("A fera sou eu", *Corajosas 1*, p. 221)

Chegou a hora de sondar seu coração:

Será que as tempestades que você enfrentou ao longo da jornada produziram algum espinho em seu jardim? Se sim, qual espinho você encontrou?
....
....
....
....

Existe alguma ferida não cicatrizada que faz você duvidar da presença constante do Aba?
....
....
....
....

Você tem se sentido como a fera da sua própria história?
....
....
....
....

Se as suas respostas foram positivas, saiba que o melhor remédio para o seu coração é apresentá-lo a Deus. Achegue-se a ele ciente de que você tem um Pai no céu que se importa com você nos mínimos detalhes e que o próprio Filho dele experimentou dores terríveis — não por descaso do Pai, mas por um propósito maior.

Corajosa, o Aba deseja cuidar do seu coração, arrancar os espinhos e curar suas feridas. Assim como ele já transformou o mal em bem no passado, ele tem poder para fazer o mesmo em sua vida. Ele pode fazer as mais belas flores brotarem no deserto e ostras feridas produzirem as pérolas mais reluzentes. Para isso, precisamos crer na fidelidade e amor do nosso Deus, confiando que, diferentemente dos homens, ele não mente e não deixa de cumprir o que prometeu (Números 23.19). Creio que ele já deve ter feito algumas rosas brotarem no solo árido dos desertos que você trilhou. Ao olhar para trás, vejo um rastro de rosas na minha jornada que me moldaram, glorificaram a Deus e, de quebra, têm ajudado a vida de outras pessoas (as minhas histórias em *Corajosas* são parte disso, sabia?). Identificar essas rosas e trazer à memória o que Deus fez no passado é um excelente exercício de gratidão e confiança. Topa identificar algumas de suas rosas?

Três vezes em que Deus fez flores brotarem no meu deserto:

1. ....
2. ....
3. ....

Um final feliz

Nas histórias de princesas eram sempre os príncipes que precisavam empunhar a espada para travar uma batalha árdua contra o mal. No mundo real, encontramos um Cavaleiro do Cavalo Branco que também lutou por nós: Jesus Cristo. Ao subir no madeiro e entregar sua vida por nós, Jesus travou a maior batalha da história.

Aliás, quando o seu coração tentar enganá-la dizendo que Deus não faz nada diante do mal que há no mundo, *lembre-o do que Deus já fez*. O Criador cumpriu sua promessa de enviar um Salvador que pudesse pagar o alto preço do pecado — um preço que você e eu deveríamos pagar, mas que jamais seríamos capazes de fazê-lo por conta própria.

Esse nobre cavaleiro já venceu a maior batalha por nós. Podemos descansar nessa verdade. Sim, é verdade que a vitória de Jesus não impede que enfrentemos o mal em nosso dia a dia. Mas ele não nos deixa na arena sozinhos. O Espírito Santo foi enviado para trilhar cada etapa da jornada conosco, e o Pai deseja nos equipar para travar as pequenas e grandes batalhas que possam surgir neste mundo nada encantado.

Sabe, Corajosa, talvez aquele desejo de enfim alcançar um "felizes para sempre" que inundou meu coração tantas vezes não seja só fruto dos filmes e contos de fadas. Pode ser só o meu coração desejando voltar para casa. Afinal, *o Pai nos prometeu, sim, um final feliz*. Ele garantiu que, um dia, Jesus voltará para nos buscar e não haverá mais lágrimas, dor ou morte (Apocalipse 21.4). Deus fará novas todas as coisas! E cada uma das batalhas que travarmos nesta terra nos aperfeiçoará, nos tornando mais parecidas com Cristo.

Esse é um final feliz pelo qual vale a pena esperar.

Desafio do Secreto

Sei o quanto pode ser desafiador construir o hábito de fazer o devocional todos os dias. Apesar de ter aprendido desde cedo a importância de dedicar um tempo diário para buscar a Deus, eu sempre me via falhando e não conseguia ser constante. Todos os anos, decidida a mudar essa realidade, eu começava um plano de leitura bíblica, mas não levava mais do que quinze dias para a minha inconstância gritar mais alto e eu desistir.

Essa realidade começou a mudar quando entendi que meu relacionamento com Deus nunca se aprofundaria a menos que eu *vencesse minhas desculpas e dificuldades*. Em vez de me apegar à minha inconstância, comecei a *mudar meus hábitos*, um dia de cada vez, e a não desistir quando eu falhava (o que acontecia com frequência no início). Com a graça de Deus e a ajuda do Espírito Santo, venci aquela inconstância e há anos tenho o prazer de sentar à mesa todas as manhãs na companhia do meu Pai.

Se você se identifica com esse cenário, que tal tentar também?

Desafio: Faça devocional diariamente nos próximos trinta dias.

Separei algumas dicas essenciais para enfrentar a inconstância:

◊ Crie uma listinha de prioridades (incluindo o devocional) e organize sua rotina a partir dela.
◊ Se possível, separe um horário fixo na sua rotina para o devocional.
◊ Defina o que você fará neste momento (por exemplo: ler um capítulo da Bíblia, ouvir um louvor, orar etc.).
◊ Tente fazer o devocional todos os dias, mesmo quando não estiver com vontade.
◊ Peça ajuda ao Espírito Santo para vencer suas dificuldades.
◊ Convide uma amiga para participar do desafio também.
◊ Leia o nosso *Guia devocional para corajosas* para conferir outras dicas essenciais.

Use a tabelinha abaixo para registrar sua constância:

1	2	3	4	5	6	7
8	9	10	11	12	13	14
15	16	17	18	19	20	21
22	23	24	25	26	27	28
29	30					

Você pode compartilhar seu progresso conosco através das redes sociais do @corajosasolivro. Conte-nos tudo. Vamos amar saber e ajudar um pouco mais!

E aí, topa o desafio?

( ) Com certeza!
( ) Hum, deixa para depois. (Tem certeza de que essa é uma boa opção?)

7

Corajosa para viver relacionamentos para a glória de Deus

por Queren Ane

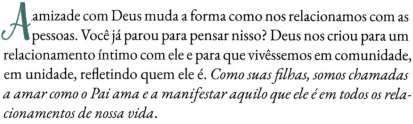

> Amem uns aos outros. Assim como eu os amei,
> vocês devem amar uns aos outros.
> Seu amor uns pelos outros
> provará ao mundo que são meus discípulos.
> *João 13.34-35*

A amizade com Deus muda a forma como nos relacionamos com as pessoas. Você já parou para pensar nisso? Deus nos criou para um relacionamento íntimo com ele e para que vivêssemos em comunidade, em unidade, refletindo quem ele é. *Como suas filhas, somos chamadas a amar como o Pai ama e a manifestar aquilo que ele é em todos os relacionamentos de nossa vida.*

Esse é um dos maiores desafios da nossa jornada como filhas de Deus. E sabe por quê? Porque em nosso caminho vamos lidar com pessoas de todos os tipos. Há aquelas fáceis de lidar, e há as que parecem exigir mais de nós. Há aquelas com quem nos identificamos e outras, que, bem, nem tanto. E aqui está uma verdade sobre as pessoas: *elas são difíceis*. Você também é difícil, não é mesmo? Toda vez que me lembro dessa verdade eu agradeço a Deus por me amar e não desistir de mim, porque eu sei o quanto sou difícil e dou trabalho ao Senhor. Já agradeceu aí também?

Nossa amizade com Deus precisa impactar profundamente nossa relação com as pessoas. Se você já leu os Evangelhos, notou como Jesus interagia com as pessoas. Ele vivia rodeado por seus discípulos e pelas multidões. Vemos no relato bíblico como Jesus lidava com pessoas diferentes e como ele transformava a vida delas. Nossas atitudes precisam ser como as de Cristo.

Que tal anotar aqui embaixo algumas das atitudes que você sabe que o Mestre teve ao lidar com pessoas tão difíceis quanto você e eu?

1. ....
2. ....
3. ....

Corajosa, à medida que caminhamos com Jesus, vamos nos tornando mais parecidas com ele. O Senhor nos convida a ver as pessoas através de seus olhos santos e amorosos, a exercer graça, amor, perdão, misericórdia, bondade como ele oferece a nós e aos outros. E eu não conheço outro lugar que Deus usa tanto para nos afiar quanto em nossos relacionamentos. Todos os dias lidamos com pessoas e, portanto, temos a oportunidade de abrir espaço para o Espírito Santo trabalhar em nosso coração e manifestar suas virtudes.

Corajosa para glorificar a Deus em minha família

Ariela, nossa pequena *não* sereia, tem um pai um tanto quanto difícil, concorda? Além da personalidade forte e controladora, ele não é cristão, o que gera muitos conflitos para nossa princesa. Se você leu meu conto "Fé sobre ondas" em *Corajosas 2*, percebeu quanto alguns comportamentos do pai entristeceram e envergonharam Ariela. Em alguns momentos, nossa princesa coloca as nadadeiras pelas mãos e, no desejo de estar certa, acaba falando e fazendo o que não deve.

> Há na sua vida alguém desafiador como o Tito?
>
> ( ) Sim
> ( ) Não

Como Ariela, eu sei o que é ter pessoas na família vivendo de maneira contrária à Palavra de Deus, muitas vezes rindo e zombando de nossa fé. Não é fácil viver em um ambiente permeado de tensões. As diferenças no modo de pensar e agir podem abrir espaço para críticas, conflitos, divisões e até mesmo perseguição.

Além disso, quando amamos Jesus e vemos pessoas queridas tão distantes dele ou zombando dele, nós sofremos. Queremos a todo custo pegar o indivíduo pelos ombros, chacoalhar e gritar: "*Ei, acorda! Jesus é o caminho*". Desejamos que seus olhos sejam abertos, e muitas vezes tentamos fazer isso pela força de nosso braço — o que só gera mais conflitos.

Somos chamadas a fazer o que é agradável a Deus e manifestar Cristo

Corajosa para viver relacionamentos para a glória de Deus

através da nossa vida, não a sermos as "donas da razão". O Senhor nos desafia a parecer com ele, sendo amáveis, pacientes, misericordiosos, perdoadores, mansas. Em suma, *precisamos que os outros vejam Jesus através de nós.* Talvez você seja a referência cristã mais próxima que seus familiares terão. E que referência você tem dado? Como tem respondido às zombarias e ofensas?

Sua atitude tem sido como a de Jesus, que é manso e humilde de coração, ou você tem sido rebelde, orgulhosa, desobediente e briguenta? Mesmo quando estamos certas e os outros agem mal conosco, não podemos nos levar por brigas e discussões. Esses comportamentos não convêm aos servos de Deus (2Timóteo 2.24-25).

É verdade que muitas vezes os pais erram, são injustos, tomam decisões desagradáveis e nos ferem, ainda que sem querer. Isso acontece porque são pecadores, assim como você e eu. Pais não são perfeitos! Mas o pecado dos seus pais não lhe dá o direito de ser rebelde e desrespeitosa. Gritar, ofender, desobedecer, bater a porta, responder com palavras feias são alguns comportamentos pecaminosos bastante comuns. Toda raiz de rebeldia é um eco do coração pecador que deseja assumir o controle da própria vida. É uma herança da Queda no Éden.

E uma vida de rebeldia não é o que o Senhor quer de você, Corajosa.

Peça em oração ao Senhor que lhe dê graça para agir de maneira correta com seus pais, responsáveis ou qualquer outro tipo de autoridade. Peça discernimento e sabedoria para dizer e fazer o certo em cada situação. Ainda que eles estejam sendo injustos, você deve agradar a Deus tendo uma atitude de amor, respeito e humildade. E também pode orar para que o Senhor mostre a seus pais onde eles estão errando. Faça a mesma oração por si mesma para que as escamas caiam de seus olhos e você possa perceber atitudes de rebeldia e pedir perdão ao Senhor e aos seus pais. E lembre-se, assim como a Ariela, que não se trata de estar certa, mas de fazer o que é certo e agrada a Deus.

Não é fácil "dar a outra face" (Lucas 6.29), porque nossa inclinação natural é a de revidar, mas como discípulas de Jesus devemos agir e falar como ele. Jesus é nosso maior exemplo de amor sacrificial, submissão, humildade e obediência. Nunca respondeu com rancor, ressentimento ou ódio. Ele foi traído por um amigo, negado por outro, abandonado por vários, humilhado por seu próprio povo... e nunca, nunca abriu a boca para revidar. Nunca devolveu o pecado que recebeu. Ao contrário: ofereceu amor e perdão para todos. É assim que você deve ser.

É claro que sozinha você nunca conseguiria responder com esse espírito de mansidão e de amor, mas você tem o Espírito Santo atuando poderosamente na sua vida para torná-la semelhante a Cristo.

Ambientes desafiadores são uma estufa para a fé, lapidando seu caráter e fortalecendo sua conduta. As provações, por mais difíceis que sejam, são usadas para refinar nossa fé e produzir as virtudes da perseverança (Tiago 1.2-3).

> *Não se trata de estar certa, mas de fazer o que é certo e agrada a Deus.*

Seu ambiente familiar pode ser tão ou mais difícil que o meu. Talvez se ressinta de seu pai ou de sua mãe e se pergunte: "Por que minha mãe tem que ser assim? Por que meu pai é tão difícil?". Pode até supor que "teria sido tão mais fácil se eu tivesse nascido em outra família", ou querer que "meu pai fosse um bom cristão como o pai da minha amiga". É possível que esses questionamentos rondem sua cabeça. Eu sei porque já rondaram a minha. Não encontrei respostas para meus "porquês", mas Deus mudou minha perspectiva e me ajudou a entender o "como".

> Como posso cumprir minha missão nesta família?
> Como posso amá-los e ajudá-los?
> Como glorificar ao Pai no lugar difícil em que fui plantada?
> Como posso transformar este ambiente?

Você foi chamada para ser uma pacificadora e uma embaixadora do reino, para representar e glorificar o Rei. Você é uma agente do ministério da reconciliação, uma ponte entre as pessoas e Jesus. É verdade que você não é capaz de mudar ou salvar alguém, mas pode ser um instrumento poderoso nas mãos de Deus para a transformação. Busque ver as pessoas pelas lentes de Jesus e agir como ele. Lembre-se que Deus amou o não amável e perdoou o imperdoável: você. Vá e faça o mesmo pelos outros.

Que a reflexão de Ariela possa ser a sua também:

> O Espírito Santo me ensinava a ser amável e paciente. Aprendi que não se tratava de eu estar certa e forçar meu pai a aceitar minha fé, mas sim de fazer o certo ao seguir o exemplo de Jesus, que era manso e humilde de coração. Eu não mudaria meu pai, nem a ninguém, e essa não era minha tarefa. Não salvava a mim mesma, e muito menos os outros. Minha missão era amar meu pai como Deus o amava, orar por ele e aproveitar todas as oportunidades para falar da minha fé com amor. ("Fé sobre ondas", *Corajosas 2*, p. 157)

Há alguém na sua família que você sente que é mais difícil de amar? Por quê?

....
....
....
....
....
....
....
....
....
....
....

Peça ao Espírito Santo que ajude você a pensar em pessoas da família por quem deveria orar. Mantenha essa lista com você e seja intencional em suas petições.

1. ....
2. ....
3. ....
4. ....
5. ....

Um palavra da Ariela para as garotas que caminham sozinhas na fé

Seria bom, não é mesmo? Se seus pais pudessem encontrar Jesus como você encontrou. Você o ama tanto, e caminhar com ele tem sido a jornada mais linda de sua existência. A vida finalmente faz sentido. Jesus é suficiente, e ele muda tudo. Agora você deseja que sua família seja salva e transformada, a fim de experimentar essa verdadeira liberdade em Cristo. Você quer cultuar em família e viver momentos lindos em comunhão.

No entanto, talvez você seja incompreendida e importunada por sua fé. Isso faz você sofrer.

Muitas vezes você se sente como eu: um tanto inútil, como se não fosse relevante para aqueles que mais ama. Você vê os anos passarem e tudo continua igual. Sua caminhada na fé é solitária. Por vezes fica desanimada e meio desacreditada. "Acho que minha família nunca será salva", "Meu pai não tem jeito", "Eu oro e oro e nada acontece". Essas mentiras nos saúdam repetidamente, minando nossa fé e esperança. Não permita que elas criem raízes em seu coração. A verdade deve brilhar em você como um farol que dissipa as trevas e ilumina o caminho. Saiba que Deus vê você! Ele ouve suas orações! Nunca são em vão. Não se esqueça que, se Jesus encontrou você, ele pode encontrar cada membro da sua família, de acordo com a vontade dele. O Senhor tem seus propósitos e faz as coisas em seu tempo perfeito. Não duvide! Nada, absolutamente nada, é impossível para ele. Seja perseverante nas orações por seus familiares e reflita Jesus em suas palavras e ações.

Amizade de princesa

Eu quero uma amiga que...

Marque no checklist o tipo de amiga que você gostaria de ter:

( ) Honesta	( ) Mentirosa
( ) Paciente	( ) Irritada
( ) Bondosa	( ) Malvada
( ) Generosa	( ) Invejosa
( ) Que se importa comigo	( ) Que pense somente em si
( ) Que me coloca pra cima	( ) Que só me critique

Aposto que você não riscou um *X* na coluna da direita. E por quê?

Porque queremos uma amiga verdadeira, leal e profunda. Que nos ame como somos e com quem possamos ser vulneráveis. Alguém em quem possamos confiar, para quem possamos abrir o coração e dividir alegrias e tristezas. Uma amiga que não finja interesse, que não minta, que não compartilhe nossos segredos com os outros, que não fale mal de nós pelas costas, que não sinta inveja, que não se aproxime só quando for conveniente, que não pense apenas em si, que dê bons conselhos e não seja maldosa.

Desejamos uma amiga assim, apenas nos esquecemos que precisamos *ser* esse tipo de amiga antes de tudo. *Muitas querem ter amigas, poucas querem ser amigas.* Você precisa ser para o outro aquilo que gostaria que o outro fosse para você.

Como se sentiria se fofocassem a seu respeito? Se falassem mal da sua roupa? Do seu jeito de rir? Talvez já até tenha acontecido. É uma sensação terrível, não? Não queremos ser alvo de meninas maldosas. Infelizmente, em nossos pensamentos, pequenos comentários, risinhos e olhares tortos, nós nos tornamos meninas maldosas.

Por vezes nos sentimos no direito de ser más quando alguém é mau conosco. *Mas pecado não se combate com pecado.* Não é isso que Jesus nos ensinou. Não podemos nos deixar levar pela dor, tristeza, amargura, indignação e raiva porque fomos feridas (Provérbios 12.10). Amor, bondade e oração devem sempre ser nossas respostas.

> [Jesus disse:] "Eu, porém, lhes digo: amem os seus inimigos e orem por quem os persegue. Desse modo, vocês agirão como verdadeiros filhos de seu Pai, que está no céu".
>
> Mateus 5.43-45

Aquilo que recebemos do Pai devemos oferecer aos outros. Isso não significa que devemos nos calar e nos esconder diante de situações como bullying, por exemplo.

Importante:

Se você estiver lidando com meninas (ou meninos) maldosos, não hesite em contar para seus pais, professores e líderes. Não permita que o medo ou a vergonha impeçam você de conversar com alguém sobre o que aconteceu.

E, se você tem visto alguém ser maldoso com outra pessoa, não compactue com a crueldade e injustiça. Sempre se coloque no lugar do outro. Também não se cale e intervenha como puder. Peça a Deus coragem, força e sabedoria para não se calar diante de injustiças. Use sua boca e sua vida para o bem (1Pedro 3.8).

> Tá achando que vai ficar famosa. Ai que ridícula!

> E a Paula, que só falava da viagem pra Disney? Como se eu quisesse saber. Por mim ela podia muito bem entrar no avião e não voltar. É insuportável haha

> Aturar a Paula é a prova de que somos almas bondosas hehe

> Ela me mostrou todos os looks que separou para a viagem. Um pior que o outro, amiga. Ela é muito brega. Me perguntou se estavam bonitos kkkk falei que sim né

> Ai, amiga você é terrível kkkk

> Ah, te contei o babado que descobri da Paula? Você não sabe da maior...

> Me conta agora! E aí eu te falo o que a Julia me contou hihi. Ela pediu segredo, mas eu não consigo guardar isso só pra mim 🤭

Que comportamentos pecaminosos você detectou nessas mensagens?

....
....
....
....
....
....

Você tem conversas parecidas com suas amigas? (Será que posso ver daqui você apertando os lábios para não liberar esse riso amarelo?) Seja honesta consigo mesma e avalie como tem se comportado ultimamente ao falar com suas amigas sobre outras amigas.

> Se suas mensagens vazarem na internet, o que o mundo veria? Você poderia ser considerada uma discípula de Jesus? Suas ações vão expressar a fé que você diz ter?

Princesas não ferem princesas, Corajosa. Temos a tendência pecaminosa de usar nossa boca para dizer coisas maldosas. Amaldiçoamos, ofendemos, invejamos, fofocamos, mentimos. Em outras palavras, ferimos e matamos umas às outras. É a estufa de farpas, uma rivalidade feminina velada em que vivemos e é normal para o mundo. Talvez você pense: "Ah, minha mãe fala mal de suas amigas", "Mas fulana é esquisita mesmo", "Ela falou de mim primeiro". Acontece que o pecado do outro não é incentivo para que você faça o mesmo. Esse não é o caminho que Jesus nos convida a trilhar. Você é uma filha de Deus! Deve andar na verdade e não em hipocrisia. Sua boca tem poder, e o que você diz sobre os outros deve agradar a Deus. Não trate os outros de maneira maldosa, não machuque suas irmãs. Não aceite a normalidade da inveja, da fofoca e da mentira.

Se você tem sido maldosa, conte para Deus e peça que ele ajude você a ser uma amiga verdadeira e boa. E seja corajosa para pedir perdão aos outros. Às vezes tudo o que a outra pessoa precisa ouvir é "Amiga, pisei na bola. Sei que te magoei, fui egoísta e mesquinha. Sinto muito". O perdão liberta você e liberta os outros.

> DICA: Se você convive com mulheres maldosas em sua família, seja você um instrumento de Deus para mostrar a verdade a elas. Rompa com esse hábito pecaminoso, exponha a verdade com amor e deixe que a luz de Cristo brilhe e ilumine a casa por seu intermédio.

Amizades e suas influências

Durante a infância e adolescência eu costumava ser a *amiga camaleoa*, aquela que se esgueira pelos grupinhos de amigos e se adapta conforme a necessidade. No fundo, eu queria ter uma sensação de pertencimento, com amizades que me aceitassem por quem eu era. O problema é que eu não sabia quem eu era, e isso fazia com que eu me tornasse quem os outros queriam que eu fosse. Boa parte da minha vida de "amizades" significou tentar fingir que gostava de determinadas bandas, assuntos e estilos a fim de poder me encaixar. Com isso, eu apenas me perdia e me distanciava de quem Deus me projetou para ser.

Outro ponto era que eu tentava mascarar o fator mais importante da minha identidade: a minha fé.

Eu sou cristã de berço e sempre adorei ir à igreja, mas eu não queria que isso me rotulasse, sabe? Queria ser descolada aos olhos dos amigos, e não tachada de careta ou religiosa. Na minha cabeça, era algo como: "Tá, eu sou da igreja, mas isso não muda nada". Mal sabia que a fé em Cristo mudava tudo.

Naquela época, alguns dos meus comportamentos não condiziam com minha fé. Para parecer "normal" eu vivia em rodinhas de assuntos duvidosos, andei com meninas maldosas, nunca dizia não para as amigas, me vestia de maneira que nem me agradava e tantas outras atitudes. A pior, talvez, tenha sido me calar e não me opor a situações das quais eu discordava no íntimo.

Amizades ditaram o rumo da minha vida por um bom tempo. Fui influenciada e moldada por elas. Amizades que não contribuíram para o fortalecimento da minha fé — ao contrário, me enfraqueceram e me esfriaram cada vez mais. Eu me via mais parecida com o mundo e menos parecida com Jesus.

Demorei um bom tempo para entender que certas amizades não eram boas para mim. Sei que esse tópico é sensível para meninas. Ter que deixar amigos é mesmo doloroso. Como eu sofri ao deixar algumas pessoas para trás! Quantas tardes e noites passei com a cabeça no travesseiro lamentando uma amizade que chegou ao fim! Essas foram as minhas renúncias mais difíceis, dizer adeus a amigos que eu amava profundamente.

> O problema é que eu não sabia quem eu era, e isso fazia com que eu me tornasse quem os outros queriam que eu fosse.

Apesar disso, eu estava disposta a seguir Jesus de verdade e ser a garota que Deus me criou para ser. Por isso deixei tudo o que precisei para trás, ainda que tenha sido doloroso.

A verdade é que você precisa *sim* repensar algumas amizades. Muitos ambientes não são para você. Pode até pensar que "não tem nada a ver!" ou "eu fico perto, mas penso diferente". Acredite em mim: de maneira indireta ou não, as amizades nos influenciam e nos transformam. Em quantas mentiras eu acreditei sobre Deus, sobre mim e sobre garotos porque amigas pensavam daquela forma! Quantas vezes fui incentivada a me comportar de maneira contrária à Palavra de Deus porque era "normal" e "parte da adolescência"!

> Eu estava disposta a seguir Jesus de verdade e ser a garota que Deus me criou para ser. Por isso deixei tudo o que precisei para trás, ainda que tenha sido doloroso.

Por isso, é muito importante que você esteja atenta às suas amizades, além, é claro, de repensar que tipo de amiga você é. *Será que você tem sido uma influenciadora do reino? Ou será que está sendo influenciada pelos ideais e práticas do mundo?* Lembre-se que você é uma carta viva. O mundo precisa ver Cristo atrás de você. Talvez você seja a ponte mais próxima entre seus amigos e Deus. Pense nisso com muito cuidado e tire um tempo para analisar as seguintes perguntas:

1. Será que você tem manifestado características de uma boa amiga?
2. Por que você tem sido amiga das pessoas com quem anda?
3. Sobre o que você mais conversa com seus amigos?
4. Que tipo de conselhos você recebe? O que a incentivam a fazer?
5. Você consegue ser autêntica com esse grupo de amigos ou precisa ser uma amiga camaleoa?
6. Sua fé tem impactado suas amizades? Ser cristã faz diferença?
7. Seus amigos a aproximam ou a afastam de Jesus?

Busque e ore por amigas com o mesmo propósito e paixão por Cristo. Amigas que a encorajem a viver sua fé de forma mais autêntica, que a incentivem a se aprofundar na Palavra e crescer na comunhão com Jesus. Amigas que ensinem, corrijam, aconselhem e afiem de acordo com a Palavra de Deus. Procure e *seja* uma amiga assim.

Sabe, este livro que você tem nas mãos, assim como o *Corajosas 1 e 2*, foi fruto de uma amizade intencional. Quatro mulheres de lugares e personalidades diferentes, mas que amam o Senhor e desejam servir às meninas através da literatura. Nunca poderíamos prever a maneira como Deus entrelaçou nossos caminhos e ministérios, mas em segredo orávamos por uma amizade assim. Nossa amizade foi estabelecida de maneira intencional e com propósito. Como é maravilhoso quando o Senhor une pessoas!

Enquanto escrevo, oro para que você viva essa dádiva. Peça ao seu Pai por amigas que, antes de tudo, sejam amigas dele. Com certeza ele apresentará algumas delas para você. Também sei que ao buscar ser uma boa amiga *você* será resposta de muitas orações.

Agora quero convidar você a fazer uma oração desafiadora. Se a fizer de coração, não tenho dúvida que será respondida.

Ore assim:

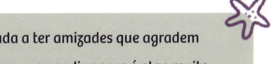

> Pai, fui encorajada a ter amizades que agradem ao Senhor, e o que eu vou pedir agora é algo muito difícil para mim. O Senhor sabe que tenho amigas que amo muito e não gostaria de perdê-las. O Senhor também sabe quais delas me influenciam de forma negativa e não são boas para mim. Quero entregar essas amizades em suas mãos. Tire da minha vida as que me afastam do Senhor. Mostre para mim quem eu preciso deixar para poder segui-lo de todo o coração. Mesmo que doa, preciso que o Senhor mude minhas amizades. Arranque de mim toda cegueira e

resistência. Desejo obedecer em tudo. Atue nas minhas vontades e afetos. Sei que cuidará de mim quando meu coração chorar pelas perdas. Sei que nunca me deixará sozinha e sempre se mostrará suficiente. Quero amigas que me aproximem do Senhor e, por isso, oro para que me ajude a também ser uma boa amiga. Corrija-me toda vez que eu agir maldosamente. Também peço que me ajude a ser intencional, a fim de que eu possa conhecer suas amigas e assim ter amizades com propósitos. Quero estar com amigas que o amem mais que tudo e que queiram servi-lo. Que se cumpra a sua vontade em todos os meus relacionamentos. Amém!

Eu quero um príncipe. E quero agora!

"Para onde eu olho, vejo romance. Minhas amigas só falam sobre garotos. Parece que todos começaram a namorar, menos eu. Ainda sou perseguida por filmes românticos, livros com garotos perfeitos, doramas com mocinhos impossíveis de encontrar na vida real e músicas apaixonadas que, na maioria das vezes, só me fazem sentir solitária e deprimida. Para piorar, quando visito minha avó ela sempre quer saber do meu namoradinho. Mas eu nem tenho um! Sinto que estou ficando para trás. Quero experimentar a sensação incrível de se apaixonar do jeito que é retratado em meus filmes favoritos. Quero viver o meu romance, com beijos, abraços e momentos felizes. Aff! Estou tão carente. Preciso arranjar um namorado imediatamente! Ser solteira é muito sem graça e constrangedor. Fala sério! Eu já tenho treze anos."

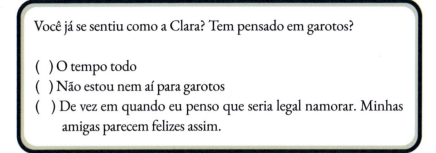

Muitas meninas se encontram sufocadas pela cultura do amor romântico. Sentem-se pressionadas por todos os lados a encontrarem um namorado a fim de viverem seu "felizes para sempre". A sensação é de que a vida não está sendo vivida como deveria se não tiverem um namorado. Afinal, é normal garotas só pensarem em meninos e namorarem na adolescência, não é?

Infelizmente, por causa dessa pressão maluca, muitas meninas acabam iniciando relacionamentos precoces e são arrastadas por diversos pecados e problemas.

Eu mesma sofri com essa pressão. No início da adolescência, queria tanto ter um namorado que sonhava acordada com meu próprio conto de fadas. Queria viver um romance como o dos filmes e novelas que eu adorava. Quando me apaixonei, foi, num primeiro momento, a melhor sensação do mundo. O coração dando pinote, as mãos suadas, o nervosismo na boca do estômago, o desejo de ser correspondida e pedida em namoro, tudo isso povoou minha mente.

Lembro-me de ficar acordada por horas fantasiando sobre nossos momentos juntos, sobre beijos, abraços e declarações de amor. Consigo até recordar a sensação de ardor no coração que minhas fantasias tolas me proporcionaram. Quanta criatividade! Criatividade essa muito bem alimentada pelas revistas que eu lia, pelas músicas que ouvia e pelas conversas que tinha com as amigas.

Foi então que aconteceu. Não guardei o coração — pelo contrário, entreguei-o de bandeja aos meus desejos. Em vez de colocar aquele sentimento debaixo do senhorio de Cristo, eu o alimentei e permiti que ele me dominasse por completo. A consequência? Um coração terrivelmente partido em mil pedaços. Decepção, mágoa e arrependimento.

Há uma verdade sobre garotos e namoro que você precisa entender, Corajosa: *Não devemos despertar o amor até que seja o tempo ideal para vivê-lo* (Cântico dos cânticos 2.7)

O namoro é um compromisso sério para pessoas que já possam pensar em casamento. Afinal, esse é o objetivo do namoro. Não é passatempo, curtição, algo criado para saciar carências e desejos carnais. O casamento é para a glória de Deus. Quando você desperta o amor cedo demais, terá de lidar com desejos que só deveriam ser manifestados e realizados no casamento. Desejos que foram criados por Deus para serem desfrutados com liberdade e beleza no matrimônio.

É natural querer amar e ser amada. O amor apaixonado foi projetado por Deus, e o casamento se destina a ser um reflexo do amor entre Cristo e a igreja (Efésios 5.31-32). E há um momento especial para essa etapa na vida, se essa for a vontade de Deus. Viver cada momento da vida no tempo certo é uma bênção. Deus pensou em tudo!

Muitas meninas projetam toda sua felicidade no namoro e no casamento, como se a existência girasse em torno de encontrar alguém e ser feliz. É isso que os romances editados e enlatados nos fazem pensar. Embora o casamento seja um belíssimo presente, ele não é um fim em si próprio. Não é o que nos valida. Se você leu o capítulo 1 deste journal, entendeu sobre o que é de fato a sua jornada.

E tenha isto em mente: a solteirice é uma verdadeira dádiva.

> Tenha isto em mente: a solteirice é uma verdadeira dádiva.

Você não deve encarar a solteirice como um "level" no jogo que você precisa ultrapassar a fim de chegar a uma fase "melhor". Sua atual fase de vida é uma belíssima estação em que você está crescendo, aprendendo, amadurecendo. É um tempo para se dedicar a conhecer mais intimamente o Senhor e a si mesma, um tempo para formar amizades, projetar o futuro, estudar... Há tantas e tantas coisas para fazer quando se é solteira! Essa fase foi pensada por Deus, e a coisa mais importante que você deve buscar nela são os propósitos dele para sua vida.

Não tenha pressa nem medo pelo futuro. Na busca desenfreada pelo amor, muitas meninas — e muitos meninos — acabam tomando decisões equivocadas, abrindo mão de princípios e valores e até se submetendo a relações perigosas fadadas ao fracasso. O que sobra é uma coleção de arrependimentos, mágoas, decepções e feridas causadas por romances vividos fora do tempo ideal.

A solteirice deve ser vivida pelo que é. Não é um fardo ou um castigo, e sim uma fase preciosa para o florescimento.

Aquiete o coração e não encare o "espere" como um peso, uma privação ou um meio para um fim. O "espere" é um limite de Deus para sua proteção. Assim você poderá florescer no devido tempo, sob os cuidados do Pai amoroso.

E o que eu faço com esses sentimentos?

Sei que a fase que você está atravessando neste momento é intensa. São tantas mudanças ao mesmo tempo... Você se vê confusa e um tanto perdida, sem saber bem o que fazer com seus sentimentos. Mas lembra do que conversamos sobre o coração no capítulo 3? Se você pertence a Jesus, já não é governada por suas paixões e desejos, e sim pelo Espírito de Deus. É preciso fazer morrer seu desejo, submetendo-o a Cristo, e não alimentá-lo ou consumá-lo (Colossenses 3.5). Você deve dar o controle a Jesus, totalmente.

> **DICA:** Se você nutre sentimentos românticos por algum menino, converse com sua mãe, com sua líder ou com uma mulher piedosa e sábia que possa aconselhar você de acordo com a Palavra de Deus.

Não gaste o seu tempo ansiosa sobre garotos e namoro. Evite sofrimentos. Dedique-se a conhecer Jesus. Desenvolva seus dons e talentos, tenha comunhão com outros jovens apaixonados por Jesus, envolva-se nas atividades de sua igreja, sirva aos outros, leia livros que edifiquem, faça amizades verdadeiras, estude e melhore na escola, ajude seus pais em casa, vá ao cinema. Viva a juventude que foi projetada para você viver em Cristo. É tempo de crescer, amadurecer e florescer. Tempo de viver sua solteirice com leveza, beleza e para a glória de Deus.

Corajosa, não precisa se desesperar para viver um romance. Proteja o seu coração. Entregue e confie sua vida amorosa ao Pai. Se Deus assim quiser, e quando for o tempo ideal, um rapaz piedoso e temente a Deus buscará por você em Cristo e assim vocês viverão um lindo romance debaixo da autoridade de Deus e em obediência a ele.

Um breve conselho para meninas que beijam sem compromisso

"Ah, mas não quero namorar, nem penso em casamento agora. Eu só fico com uns meninos de vez em quando. Nada demais", pensou Duda.

Se há uma Duda dentro de você, precisamos ter uma conversa bem séria. Essa Duda precisa sair daí agora mesmo. Que negócio é esse de ficar?! Por que uma filha do Deus Altíssimo se permitiria usar os outros e ser usada? Concessões à imoralidade e à defraudação emocional não fazem parte da vida do cristão!

Você sabe o que é defraudação emocional?

É quando você engana o outro ao prometer coisas que não poderá oferecer. Você mente e ilude propositalmente ao despertar sentimentos e desejos que não tem intenção de suprir.

"Ficar", beijar sem compromisso, é um ato egoísta que torna o outro um mero objeto para satisfazer desejos carnais. Isso fere quem somos, o valor que temos, a dignidade que nos foi dada por termos sido feitas à imagem e semelhança de Deus. Relacionamentos temporários e descartáveis desagradam a Deus. E quantas feridas e danos você causa a si e a outros beijando por aí apenas por puro capricho! Entenda que você foi chamada à pureza e à santidade. Você não foi comprada pelo sangue de Cristo para uma liberdade mundana, cheia de libertinagem, impureza e imoralidade.

Se você é adepta do "ficar", ore para que o Espírito Santo liberte você. Deixe esse pecado para trás imediatamente. Comprometa-se com o Senhor e rejeite todo desejo ou emoção passageira e carnal.

> Vocês não sabem que seu corpo é o templo do Espírito Santo, que habita em vocês e lhes foi dado por Deus? Vocês não pertencem a si mesmos, pois foram comprados por alto preço. Portanto, honrem a Deus com seu corpo.
>
> **1Coríntios 6.19-20**

> A vontade de Deus é que vocês vivam em santidade; por isso, mantenham-se afastados de todo pecado sexual. [...] Pois Deus nos chamou para uma vida santa, e não impura. Portanto, quem se recusa a viver de acordo com essas regras não desobedece aos ensinamentos humanos, mas rejeita a Deus, que lhes dá seu Espírito Santo.
>
> **1Tessalonicenses 4.3,7-8**

Acordo de princesa

"Me recuso a ser louca por garotos. Não me importo se todos estão namorando menos eu. Também me recuso a me deixar levar pelos meus desejos e sair beijando garotos por aí. Não é isso que o Senhor quer de mim. Sei que não devo despertar o amor e paixões que não poderei saciar. Não devo defraudar nem ser um tropeço para os outros. Deus não quer que eu tenha relacionamentos passageiros e imorais e que carregue feridas, mágoas e arrependimentos. Ele deseja cuidar do meu coração e me fazer florescer em seus caminhos. Sei que sou completa nele e amada como nunca ninguém será capaz de me amar. Por isso, eu me comprometo a me concentrar em Jesus e a crescer no relacionamento com ele. Quero ser apaixonada por Jesus!"

Assinatura: ....
Data: ....

Dicas para não ser ~~ou deixar de ser~~ louca por garotos

- ◊ Não fique em rodinhas de amigas que são loucas por meninos. Tente mudar o ambiente e, se não conseguir, mude de ambiente.
- ◊ Reduza a quantidade de filmes, livros, doramas e séries românticas. Se estiver gostando de alguém ou desesperada para namorar, tire absolutamente qualquer coisa que possa incentivar você a se deixar levar por seus sentimentos. É sério!

◊ Pare agora mesmo de ouvir músicas obcecadas com romance. Elas só fazem você se sentir solitária, deprimida e desejosa por um cara. Até acaba sofrendo por amor mesmo sem ter um amor de verdade! Sintonize seus ouvidos em músicas que edificam.

◊ Se tem um crush, comece agora a analisar cada sentimento, cada desejo à luz da Palavra e entregue tudo em submissão a Jesus. Pergunte-se: será que estou pronta para me comprometer com alguém pelo resto da vida? Agora?

◊ Se você segue o garoto nas redes, não fique stalkeando cada passo, cada story, cada foto. Quanto mais ver, mais você pensa.

◊ Não crie seu conto de fadas na cabeça. Pare de ficar sonhando acordada. Espete essa bolha mágica com a espada da Palavra de Deus. Quanto mais você permitir sua mente vagar, mais alimentará seus desejos. Ponha a mente nas coisas do alto, lembra?

◊ Faça a próxima coisa — essa eu aprendi com Elisabeth Elliot. Aposto que você tem um milhão de coisas a fazer. Então, em vez de deixar o pensamento vagar e o coração afundar em anseios desnecessários, faça a próxima coisa: limpe seu quarto, arrume seu armário, lave uma louça! Seja útil.

◊ Não fique de conversinhas e insinuações com garotos. Não dê corda! Corte mensagens e bloqueie contatos. E, por favor, não seja a pessoa a iniciar conversas indecentes!

◊ Cuidado com as fotos que você posta. Rejeite todo desejo de provocação, seja através de roupas, de caretas ou de frases.

◊ Garotos não são namorados em potencial. Busque amizades honestas com bons garotos vendo-os como irmãos em Cristo.

◊ Converse com sua mãe e/ou com pessoas sábias na fé em quem você confie. Conte como se sente, peça conselhos e oração. Não guarde esses dilemas só para você.

◊ Faça seu devocional regularmente. Assista pregações, ouça podcasts cristãos, leia sobre biografias de mulheres de Deus como Amy Carmichael, Isobel Kuhn, Elizabeth Elliot.

◊ Vá aos cultos e sirva em sua igreja local.

◊ Procure livros sobre relacionamentos à luz da Palavra de Deus e seja edificada.

◊ Ande na verdade, em quem Deus é e no que diz sobre você.

8

Corajosa para perseverar na jornada chamada vida

por Maria S. Araújo

> O Senhor conduza o coração de vocês ao amor de Deus
> e à perseverança de Cristo.
>
> *2 Tessalonicenses 3.5*

O despertador tocou alto ao lado da cama. Mais um dia havia começado, mas ela não se sentia disposta para encará-lo. Os pés se arrastaram lentamente até o banheiro. A imagem no espelho mostrava as olheiras de uma noite de insônia, os pensamentos frenéticos demais para que ela conseguisse controlá-los. Era o que vinha acontecendo ultimamente em sua vida. Sentia-se cansada, triste e frustrada.

"Por que, Deus?"

Contemplou seu reflexo no espelho enquanto penteava os cabelos ondulados. A tela do celular acendeu, indicando uma notificação do aplicativo da Bíblia com o versículo do dia. Abrir ou não abrir? Era justo continuar lendo aquele livro? Havia tantas perguntas na sua mente. Bem, melhor deixar para outra hora. Olhou-se novamente no espelho, jogou os cabelos para o lado e cuspiu o creme dental. Agarrou o celular. Não desistiria assim tão fácil.

Essa garota, muitas vezes, é você e sou eu. Não são todos os dias que acordamos saltitando e motivadas para mais uma rodada de correria, estresse e desafios da vida e do coração. Bate uma canseira só de pensar na lista. Em outros dias estamos mais animadas e até gostamos de estar ocupadas. Olhamos para a agenda do dia e nos confortamos em saber que vamos encontrar amigos no meio da correria toda.

E quanto aos desafios do coração? Bom, eles raramente ficam quietinhos lá dentro, não é mesmo? Ser jovem não é fácil, e isso não é segredo algum. A verdade, porém, é que sem Jesus os anos de juventude serão indescritivelmente mais difíceis. Os medos, as ansiedades e os desejos parecem se atropelar em nossa mente, e às vezes sentimos que não temos para onde correr. É então que Jesus se oferece para carregar esse fardo. Se você não tem Jesus em sua vida, é você quem precisará carregar o peso inteiro sozinha.

"Tá, já entendi que a vida do jovem é sofrida, mas aonde você quer chegar?"

Minha querida Corajosa, não dá para levar a vida confiando que você vai dormir e acordar a cada dia cheia de motivação e fé para seguir a jornada cristã. Para isso, são necessários passos, e o que eu desejo apresentar para você neste texto é um chamado à "perseverança".

O dicionário Aurélio define perseverança como "persistência de quem não desiste; insistir, obstinar, continuar". E se essa garota do início do texto se deixar levar pelo cansaço e a tristeza? Pelas noites mal dormidas com os pensamentos a todo vapor? Pelos questionamentos e dúvidas que rodeiam seu coração? Honestamente, se o alicerce dela estiver firmado nesses elementos, ela não conseguirá persistir como seguidora de Jesus. Nosso olhar precisa estar focado em algo sólido, seguro, não em nossas circunstâncias e emoções momentâneas.

Se me pedissem para criar a minha própria definição de "perseverança", acredito que seria algo mais ou menos assim: *Quando tenho vontade de desistir e chorar, quando não entendo as circunstâncias e até chego a duvidar de que Deus se importa, ainda assim continuo empurrando porque lá no fundinho não quero deixar a esperança morrer.*

O que acha? Está tudo bem ser honesta sobre como você se sente. Mas não está tudo bem viver com base no que você sente.

A garota do início deste capítulo abriu o aplicativo da Bíblia. Ela deu o primeiro passo! Foi isso que ela fez: ela abriu a porta para a perseverança, e é disso que vamos falar aqui. Minha oração é que você aprenda que *perseverar é uma jornada compartilhada com Deus.* Você não está só. Por isso vamos tomar uma injeção de ânimo já no início!

Leia a passagem bíblica abaixo, que descreve dois tipos de jovens. Qual deles você deseja ser: o que perde as forças e tropeça, ou o que perde as forças mas é constantemente renovado pelo Senhor?

> [Deus] dá forças aos cansados
> e vigor aos fracos.
> Até os jovens perdem as forças e se cansam,
> e os rapazes tropeçam de tão exaustos.
> Mas os que confiam no Senhor renovam suas forças;
> voam alto, como águias.

> Correm e não se cansam,
>
> caminham e não desfalecem.
>
> **Isaías 40.29-31**

Descreva nas linhas abaixo como anda o nível de perseverança em sua vida atualmente.

....

....

....

....

Persistir ou desistir?

"Seja forte e corajoso!"

Você já deve ter visto ou ouvido essas duas palavrinhas juntas. Talvez na capa de uma agenda, em um sermão na igreja, ou quem sabe em nosso livro *Corajosas*. Mas você sabe o contexto por trás dessa frase tão famosa no mundo cristão? Essa foi uma ordem dada diretamente por Deus a um jovem guerreiro no Antigo Testamento.

Josué era um assistente de Moisés, o líder dos israelitas após a saída do Egito. Josué auxiliou Moisés em diversos momentos durante a caminhada do povo pelo deserto do Sinai. Deus o escolheu para ser o sucessor de Moisés — nada mais nada menos que o líder de toda uma nação. Que responsabilidade! Havia muitos riscos nessa tarefa de guiar milhares de pessoas, enfrentar povos inimigos e conquistar a terra que Deus havia prometido para seu povo. Não era um desafio fácil, por isso Deus falou para Josué:

> Esta é minha ordem: Seja forte e corajoso! Não tenha medo nem desanime, pois o Senhor, seu Deus, estará com você por onde você andar.
>
> **Josué 1.9**

Ele não falou apenas uma vez, mas três vezes (Josué 1.6,7,9)! Estava claro que Josué precisava se manter firme e persistir mesmo sem conseguir ver o resultado final. E Deus entregou tudo o que Josué precisava para cumprir a tarefa. Josué teve sucesso!

Temos muito em comum com Josué. Por que você acha que Deus falou para ele mais de uma vez que ele deveria ser forte e corajoso? A verdade é que há dias em que nos sentimos alegres, e há dias em que nos sentimos frustradas. Num dia nos animamos com um acontecimento interessante, no outro ficamos estressadas com algo e lá se vai a alegria. Então, ganhamos um presente e a alegria volta, mas na sequência uma amiga ignora nossas mensagens e isso também nos abala de alguma forma. Esses são exemplos simples de como nossos sentimentos estão condicionados às nossas circunstâncias. Acontece que os sentimentos não são confiáveis, pois mudam assim como o vento leva a folha de uma árvore de um lado para o outro. Eu consigo imaginar Josué tendo diferentes sentimentos e emoções ao ouvir que precisaria tomar decisões por toda uma nação!

> *Você não precisa ver o resultado, mas tão somente acreditar na promessa e receber a força de Deus para continuar!*

Significa então que os sentimentos são ruins? Com certeza não! Deus nos criou com sentimentos e emoções, e eles são parte de quem nós somos. Eles nos embelezam porque nos tornam reais, diferentes de robôs. No entanto, eles não podem reger nossa vida. Precisamos de algo sólido para apoiar os pés. Josué se agarrou à promessa que Deus fez de que estaria com ele. Talvez você não precise tomar decisões por uma nação inteira, mas essa promessa também é para você, Corajosa.

O teu amor me basta. Se eu focar em ti, estarei segura em teus braços, meu querido Pai. ("Encontrada", *Corajosas 1*, p. 157)

No conto "Encontrada", em *Corajosas 1*, Ella passa por dificuldades que fazem o seu coração doer e suas emoções serem abaladas, mas ela persiste mesmo quando as circunstâncias tentam fazê-la desistir. Da mesma forma, eu quero insistir, ser obstinada com Deus ao meu lado, porque se eu me deixar abater significa que não confio que a mão poderosa de Deus está me carregando. É sobre continuidade, não circunstância.

Numa escala de 1 a 3 (1 = raramente, 2 = às vezes, 3 = frequentemente), circule o que se aplica a você:

Às vezes me pego pensando em desistir	**1**	**2**	**3**
Minha disposição de ler a Bíblia depende de como me sinto	**1**	**2**	**3**
Acredito que as pessoas ao meu redor são mais firmes na fé do que eu	**1**	**2**	**3**
Não separo tempo diário para falar com Deus e ouvir sua voz	**1**	**2**	**3**
Dificuldades me fazem questionar o amor de Deus por mim	**1**	**2**	**3**

A *maioria* das respostas foi:

1: Perseverar é o seu sobrenome! Continue, Corajosa. Espero que este journal ajude você a confirmar que vale a pena ficar firme e constante no Senhor.

2: Perseverar não é impossível! O Senhor está trabalhando na sua vida, e o fato de você estar lendo este livro é prova disso! Vamos aprender juntas a ficar mais fortes!

3: Perseverar é difícil! Eu entendo... por isso escrevi este capítulo! Acredito que as verdades de Deus vão encontrar solo no seu coração e mente, ensinando-a a ficar firme no Senhor.

Para pensar: O que você gostaria de mudar de agora em diante?

....

....

....

Moisés foi o exemplo de Josué. Quem é o meu?

Vivendo como Jesus.

Essa frase me vem à mente quando penso em perseverança. Como posso persistir nesta vida sem lutar todos os dias contra o que quer me fazer parar? Perseverança tem a ver com lutar. É uma ação proativa.

O mundo não é impelido por um alvo eterno, pois os olhos estão focados apenas no que esta terra oferece numa luta solitária. Assim, se você deseja uma vida com Cristo, não há alternativa senão persistir.

Ela se apoiou nesse e em todos os conselhos deixados por seu pai. Ainda doía pensar nele, mas quando a tristeza tentava levá-la para baixo ela ouvia a voz de Deus, que dizia: "Eu sou o Pai que mais ama você no mundo inteiro". Então ela levantava a cabeça novamente e lutava mais um dia. "Só mais um", dizia para si mesma.

Jesus se identifica com o seu sofrimento. O ato mais perverso da história da humanidade aconteceu na cruz. Jesus é o Filho de Deus. Mesmo sofrendo tantas injustiças e maus-tratos, ele humildemente abriu os braços e ofereceu uma posição de irmãs adotivas a você e a mim. Quando sofremos, tendemos a olhar apenas para nós mesmas. As situações crescem em proporções avassaladoras, porque, afinal, é assim que nos sentimos — *ah, e como sentimos*, não é mesmo, Corajosa?

> Jesus se identifica com o seu sofrimento. O ato mais perverso da história da humanidade aconteceu na cruz.

Por que será que é tão fácil esquecer as bênçãos, os momentos felizes, e lembrar tão frequentemente as dificuldades? É como ter uma pedra no sapato, não importa quão pequena seja: vai incomodar, vai doer. Nós esquecemos que temos Jesus como o maior exemplo, e que ele nos entende tão perfeitamente. Já parou para pensar que ele escolheu de forma intencional nos entender?

Embora sendo Deus,
    não considerou que ser igual a Deus
    fosse algo a que devesse se apegar.
Em vez disso, esvaziou a si mesmo;
    assumiu a posição de escravo
    e nasceu como ser humano.
Quando veio em forma humana,
    humilhou-se e foi obediente até a morte,
    e morte de cruz.

Filipenses 2.6-8

Jesus poderia ter vindo à terra como um homem adulto, forte e independente, pronto para cumprir sua missão e voltar para seu perfeito lar. Mas não. Ele escolheu vir na forma mais frágil e dependente de ser humano que existe: um bebê. Ele precisou do cuidado materno para se alimentar, teve de aprender a se comunicar e a andar com as próprias pernas. E não importa se você tem dez, quinze, vinte, trinta anos, a verdade é que Jesus passou por todas essas fases e entende as particularidades de cada uma delas. Você consegue ver como ele a entende?

É por isso que precisamos nos agarrar a ele com persistência, sem nos deixar levar por circunstâncias, sentimentos ou estações da vida, imaginando que ninguém entende as dificuldades que enfrentamos. Eu quero lembrá-la de que você é uma filha amada de Deus e que nosso Pai no céu nos chama para seguir o exemplo de Jesus, nosso irmão mais velho na família eterna.

No entanto, para seguir o exemplo de Jesus, precisamos seguir os padrões que ele estabeleceu. Muita gente diz que ama a Deus, mas a Bíblia adverte que aqueles que o amam são os que obedecem a seus mandamentos (João 14.21). Ou seja, os que seguem o padrão de Cristo.

Você sabe o que significa a palavra "cristão"? *Pequeno Cristo*. O termo foi usado pela primeira vez em Antioquia, quando os seguidores de Jesus se espalharam por causa da perseguição e começaram a viver para Deus em diferentes lugares, levando o evangelho a muitos (Atos 11.26). A primeira coisa a fazer para seguir o modelo de Jesus é imitá-lo, não somente admirá-lo.

Por exemplo, Jesus não tinha medo de entrar em conflitos. De fato, ele os resolvia trazendo-os à luz da Palavra. Ele foi um *fazedor* de paz, não somente um *mantenedor* de paz. Não tinha medo de não agradar a todos, de que suas opiniões causassem desconforto. Da mesma forma, expresse a verdade quando necessário, sendo fiel àquilo em que acredita. Fale com Deus como Jesus fazia. Ele estava em conexão com o Pai o tempo todo.

Quanto mais perseveramos, mais pessoas vão ver Jesus. Você já percebeu que pessoas que passam muito tempo juntas acabam ficando parecidas no jeito de falar, interagir, e às vezes até nas expressões do rosto? É o que chamam de *ondas cerebrais sincronizadas*. Quanto mais você persevera com Cristo, mais parecida com ele se torna, e mais impacta pessoas ao seu redor. Por isso, fique firme no exemplo dele.

Eu quero me parecer mais com Jesus nos seguintes aspectos:

....
....
....
....

Como não afundar ao primeiro passo sobre as águas?

Era o meio da noite, e uma tempestade teve início. Aquele grupo de homens tentava atravessar o mar para chegar à terra segura. As águas violentas sacudiam o barco, fazendo com que clamassem por socorro, mas as circunstâncias só pareciam piorar. As ondas os levavam para cima e para baixo num ritmo frenético, enchendo o barco de água.

"Um fantasma!", alguém no grupo gritou.

Era a figura exata de um homem caminhando sobre as águas. Eles logo o reconheceram: era o seu Mestre. Um dos homens ficou tão chocado que pediu para também caminhar sobre as águas. Permissão concedida. À medida que as ondas e o vento se tornavam ainda mais violentos, esse homem percebeu, porém, que não tinha mais controle da situação. Suas pernas começaram a afundar.

Pedro foi o homem ousado que pediu a Jesus para ir ao seu encontro no meio de uma tempestade. Para caminhar sobre as águas, ele deveria abrir mão por completo do controle, sem contar com um suporte firme sob os pés (Mateus 14.22-36).

Como se manter firme e perseverante quando parece que não temos mais controle da situação? Como caminhar relaxadamente sobre as águas, ao encontro de Jesus, sem afundar? Eu quero convidar você a colocar o pé fora do barco ainda que sentindo medo.

> Se você crê em um Deus que controla as coisas grandes, precisa crer em um Deus que controla as coisas pequenas. É para nós que as coisas parecem "pequenas" ou "grandes".
>
> **Elisabeth Elliot**

Entregar o controle para Deus é parte do "contrato". Deus é um cavalheiro, e ele não forçará você a entregar o controle de sua vida a ele. Você mesma precisa tomar a decisão. Precisa agarrar a oportunidade de crescer na fé, de dar o primeiro passo para fora do barco quando as águas estiverem agitadas. Com Deus é tudo ou nada!

Pedro quase afundou quando percebeu não ter o controle da situação, mas Jesus estendeu a mão e o salvou. Você não é um fracasso por causa de uma experiência malsucedida. O Senhor não está chamando você para atravessar um oceano caminhando sozinha. E, se seus pés começarem a afundar, ele ajudará você a voltar para o barco.

Anote três passos que você precisa dar para entregar o controle da sua vida a Deus:

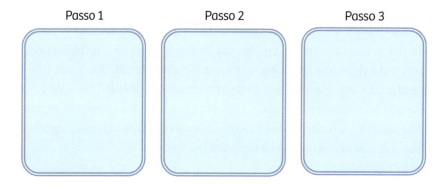

Subir degraus é cansativo!

Uma amiga convida você para uma festa de aniversário com direito a churrasco e muito mais. Dentro do Uber, a caminho da festa, você vai salivando, o estômago roncando porque você não almoçou a fim de deixar espaço para a picanha. Você para animada em frente ao elevador que a levará para a cobertura, mas esmorece ao perceber que está em manutenção. Sua mente tenta fazer o cálculo do lance de escadas, mas desiste porque matemática não é o seu forte. Você pega as escadas, os longos e sofridos degraus.

Deus ama jornadas, passo a passo. E muitas vezes esses passos se assemelham a subir degraus. Um lance de escadas, tudo bem... mas cinco?! As pernas queimam, o suor escorre, o fôlego falha. Esse é o resultado. Mas você acaba chegando ao seu destino e poderá desfrutar de uma deliciosa e suculenta picanha. Pode apostar que valeu a pena!

Dor. Sofrimento. Desafios. Ansiedade. Tristeza. Estresse. Pequenas palavras, grande impacto. Quero apresentar a você — ou relembrar caso já a conheça — a palavra resiliência. Trata-se da *"capacidade natural para se recuperar de uma situação adversa, problemática"* (Aurélio). Livros de autoajuda vão motivar você a usar as situações difíceis para se tornar mais forte, superar a si mesma e vencer barreiras. O que eu quero compartilhar, no entanto, é uma visão cristã da definição. Anota aí:

> *Deus usa situações difíceis e as transforma em bênçãos para deixar você mais forte.*

Eu tinha o sonho de morar fora do Brasil. O ano era 2019. Juntei dinheiro, escolhi o país e o programa de intercâmbio. Meus planos estavam indo de vento em popa. Então, em março de 2020, o furacão da pandemia chegou e arrastou consigo meu sonho. "Abalo" não descreve o que senti... estava frustrada, triste e confusa. Essa foi a época da minha vida em que mais questionei a Deus. Eu tinha dúvidas e queria respostas, mas elas não vieram como eu esperava.

Chegamos em 2022. Deus estava me enviando para ser missionária em outro país, mas o processo andava lentamente, e eu só poderia sair do Brasil em agosto. Em abril, minha avó faleceu e fui eu quem esteve lá ao lado dela, segurando sua mão, pois nenhum dos filhos conseguia ver a mãe desfalecendo. Ao orar por ela pedindo a Jesus que a recebesse no céu, de repente tudo fez sentido. Se eu tivesse ido para outro país em 2019, não teria tido a oportunidade de confortar minha avó em sua partida e orar por ela reafirmando sua vida com o Senhor.

Mesmo que não pareça ser o caso — afinal, ninguém gosta de perder um ente querido, e ainda hoje dói lembrar — Deus transformou essa situação em bênção. Minha avó, também Maria, estava sofrendo muito e precisava descansar, e finalmente foi morar com Jesus eternamente. E eu fiz parte disso! Lágrimas rolam no meu rosto ao reconhecer a graça de Deus nisso tudo. Pude experimentar pessoalmente a dependência nele e crescer na fé em meio àquele tempo difícil.

Muitas vezes acontece de nossos desejos não serem concedidos. Ficamos frustradas, chateadas... Eu posso citar muitas outras vezes em que isso aconteceu comigo. "Por que, Deus?", eu me perguntava, como se eu fosse uma filha tão boa que merecesse que meus desejos fossem sempre atendidos à minha maneira e no meu tempo.

O legalismo é um perigo nessa área. A tentação de confiar em nós mesmas, pelo "bem" que fazemos, por sermos "boas" garotas, é muito grande. Se cavarmos um pouquinho a fundo, podemos encontrar verdades sobre nós que não são tão legais de descobrir. Mas sabe de uma coisa? Nosso bom comportamento não faz Deus nos amar mais, e nossas falhas não o fazem nos amar menos.

Deus é sempre bom ao usar nossa natureza falha, nossa história quebrada, nosso ser corrompido. Não é porque merecemos, mas porque ele escolheu nos amar e ser generoso conosco. Somente Deus tem a habilidade de aplicar a resiliência de que precisamos em nossa vida. Não é sobre ser uma pessoa melhor, mas sobre ser uma genuína seguidora de Jesus que deixa o controle nas mãos de Deus.

> Eu costumava pensar que conseguiria o que quisesse se fosse uma garota obediente. Agora sei que, quando coloco o Senhor em primeiro lugar, ele muda os meus desejos para corresponder aos dele.
>
> **Corrie ten Boom**

Dor. Sofrimento. Desafios. Ansiedade. Tristeza. Estresse. Citamos essas palavras anteriormente. Elas são reais em nossa vida, mas o poder de Deus é muito mais. Não é sobre nós, é sobre a vontade dele. Que tal trocarmos essas palavras por maturidade, força, crescimento, perseverança, resiliência, contentamento? Convide o Senhor hoje para fazer a vontade dele na sua vida e usar as dificuldades da sua jornada para a glória dele, e você verá sua fé ser cada vez mais firmada na rocha que é Jesus. Assim você poderá subir as escadas de braços dados com Deus.

> Por isso não tema, pois estou com você;
> não tenha medo, pois sou o seu Deus.
> Eu o fortalecerei e o ajudarei;
> eu o segurarei com a minha mão direita vitoriosa.
>
> **Isaías 41.10**

Além de princesa, atleta?

Você precisa fazer o que sabe que é certo, não aquilo que está a fim de fazer.

Um atleta pode sentir vontade de comer besteira: batata frita, hambúrguer, refrigerante... Mas, se fizer isso, ele sabe que sua performance será afetada drasticamente. Manter-se saudável é uma escolha com consequências — no caso do atleta, boas consequências. Ele terá mais energia e disposição, e com certeza sobressairá. Comer sua comida favorita não significa que é a melhor opção para o seu corpo.

Se você ama algo, encontra tempo e jeito de fazer dar certo. Ficar três horas arrumando cabelo e unhas? Moleza. Esperar numa longa fila para comprar aquela roupa bacana? Tranquilo. Passar horas ouvindo suas músicas favoritas? Pode crer. Maratonar aquele dorama ou série? Sim, senhor. Quando você ama algo, não mede esforços para fazer. É natural, até prazeroso.

Em todas essas situações, você ganha algo em troca. Você se *alegra* ao ouvir sua música favorita ou comer algo delicioso, se *diverte* com a série, se *sente* linda com o tapinha no visual. A verdade é que nossa natureza humana está condicionada naturalmente a agir em busca de ganhos. Sempre queremos uma recompensa. Se estudamos, desejamos boas notas; se trabalhamos, mal podemos esperar pelo pagamento; se abraçamos, desejamos retribuição. Nos simples e nos grandes eventos da vida, desejamos algo em troca. O nosso foco está naquilo que vamos receber em resposta às nossas ações, e seremos mais ou menos motivadas com base na força de nosso objetivo. Na trajetória cristã, não é diferente.

> Vocês não sabem que, numa corrida, todos competem, mas apenas um ganha o prêmio? Portanto, *corram para vencer*. O atleta precisa ser disciplinado sob todos os aspectos. Ele se esforça para ganhar um prêmio perecível. Nós, porém, o fazemos para ganhar um *prêmio eterno*. Por isso não corro sem objetivo nem luto como quem dá golpes no ar. Disciplino meu corpo como um atleta, *treinando-o para fazer o que deve*, de modo que, depois de ter pregado a outros, eu mesmo não seja desqualificado.
>
> **1Coríntios 9.24-27, grifos meus**

Eu particularmente amo essa comparação entre o atleta e a vida cristã. O corpo do atleta um dia vai envelhecer, não vai funcionar bem, vai adoecer e ele vai ter de finalmente se aposentar. Para o cristão, quanto mais nos dedicamos a perseverar firmemente com o Senhor nesta vida, mais seremos fortalecidos, mais saudável e forte será nossa alma, ainda que o corpo desfaleça, pois o prêmio será eterno.

As princesas nada encantadas do livro *Corajosas* são meninas que lutam no mundo real, como o seu. São princesas que representam um reino eterno que já começou aqui na terra. Mas você consegue imaginar uma princesa de vestido bufante correndo a toda velocidade igual a um atleta? É cômico pensar nisso, mas se ela trocar o vestido por uma roupa de ginástica, é possível sim. É assim que você tem uma princesa nada encantada e atleta! Precisamos estar prontas para fazer os sacrifícios necessários visando ganhar o prêmio eterno, e você não vai querer ficar de fora, certo? Afinal, o prêmio é viver com Jesus para sempre.

> A fé, como o amor, não é um sentimento. A fé é uma ação obediente da vontade.
>
> **Elisabeth Elliot**

Decidir acreditar na Verdade!

Já falamos sobre sentimentos, persistência, resiliência, esforço, perseverança. Agora, finalmente, vamos tratar da fé. *O que acreditamos é aquilo que vamos estar mais propensas a lutar para alcançar, defender e representar.* Se não estivermos firmes na verdade, a fé pode se tornar meramente o resultado de nossas circunstâncias e emoções. Se aquilo em que acreditamos é o evangelho de Jesus Cristo, vamos nos firmar nisso. A principal e mais efetiva forma de fazer isso acontecer é conhecer a Palavra de Deus. Assim você poderá confiar no amor de Deus por você e desejar amá-lo de volta com sua obediência e dedicação.

> As palavras de Ananda e Laura a haviam machucado, mas ela sabia que, se guardasse essas mágoas, elas ficariam cada vez maiores e isso acabaria por afastá-la de Deus. Então, decidiu entregar tudo a Jesus. Ele saberia melhor como cuidar da sua ferida e ajudá-la a superar essa situação.
> ("Encontrada", *Corajosas 1*, p. 142)

Ella ganhou de presente de seu pai uma Bíblia e passava tempo lendo e fazendo anotações. Ela encontrou na Palavra de Deus a certeza de que Deus era o Pai que a amava mais do que seu próprio pai de sangue seria capaz de fazer. Ela encontrou conforto para suas dores e alívio para sua alma, mas também desafios para sua forma de viver.

Infelizmente, ela perdeu sua Bíblia. Que dor Ella sentiu! Mas as palavras estavam gravadas em seu coração, e nada mudaria isso. Ninguém poderia tirar as verdades que ela havia aprendido, pois eram palavras do próprio Deus. Como afirma o salmista: "Guardei tua palavra em meu coração, para não pecar contra ti" (Salmos 119.11). Ela sabia que não precisava acreditar no que as pessoas diziam a seu respeito, nem no que o seu coração por vezes lhe falava. Em vez disso, ela decidiu voltar seu foco para a Palavra.

Fazer do Senhor uma prioridade na sua vida não é uma tarefa que acontecerá automaticamente, da noite para o dia. É, isto sim, uma decisão. Não é possível perseverar, ficar firme e constante com o Senhor sem o alicerce que é a verdade de Deus. E você pode ter certeza de que nada nem ninguém poderá separá-la dessa verdade.

Leia este versículo e o grave no seu coração.

> Nem altura nem profundidade, nada, em toda a criação, jamais poderá nos separar do amor de Deus revelado em Cristo Jesus, nosso Senhor.
>
> **Romanos 8.39**

Vamos torná-lo pessoal? Coloque o seu nome completo e leia em voz alta.

Nem altura nem profundidade, nada, em toda a criação, jamais poderá separar .... do amor de Deus revelado em Cristo Jesus, nosso Senhor.

Agora liste aqui a sua própria versão de coisas que *não* vão separar você do amor de Deus:

a.
b.
c.

Dicas da Ella para se manter firme e perseverante

Querida Corajosa, não há outro jeito de ficar firme senão permanecendo ao lado de nosso Pai amado. Esforço, disciplina e amor são necessários, e Deus ajudará você em tudo isso. Preparei uma listinha de coisas que eu faço para me manter de pé, além de algumas referências valiosas para você checar na sua Bíblia:

- *Passe tempo com Deus em oração.* Ele não se importa com palavras sofisticadas, portanto seja o mais honesta que puder! (Leia Hebreus 4.16.)
- *Leia a Palavra e obedeça.* Ah, e não leia a Bíblia já tentando encaixá-la na sua opinião pessoal, mas sempre com o desejo de conhecer a Deus e a vontade dele, combinado? (Leia 2Timóteo 3.16.)
- *Conte com pessoas que amam Jesus na sua vida.* Observe as mulheres ao seu redor, encontre uma que ama o Senhor e peça a ela que compartilhe o que Deus tem feito por ela. (Leia Salmos 145.4.)
- *Seja generosa com suas palavras.* Encoraje os outros, para que também continuem firmes. Quando enchemos o pote de outras pessoas, o nosso se enche também. (Leia Hebreus 10.24.)
- Por último, mantenha a mente focada no Senhor. Este versículo aqui é uma baita dica! "Por fim, irmãos, quero lhes dizer só mais uma coisa. Concentrem-se em tudo que é verdadeiro, tudo que é nobre, tudo que é correto, tudo que é puro, tudo que é amável e tudo que é admirável. Pensem no que é excelente e digno de louvor" (Filipenses 4.8).

Vamos orar juntas?

Senhor Jesus, obrigada porque não estou sozinha. Eu sei que o Senhor está ao meu lado, mesmo quando não sinto sua presença. Obrigada por enviar Jesus a este mundo para sofrer por amor a mim. Nada que eu faça jamais poderá pagar isso. Pai, ajuda-me a continuar persistindo. Desejo amá-lo e ser uma bênção para as pessoas ao meu redor. Eu decido acreditar e seguir o seu exemplo hoje, Jesus! Caminhe comigo nessa jornada de persistência na fé, para que me torne cada vez mais parecida com o Senhor dia após dia. Amém!

Tratado de vida

E então? Deixe-nos ver essa caneca de café (ou achocolatado, também vale). Bebeu tudo? E as canetas coloridas? Ah, espero que elas estejam com menos tinta do que quando você abriu a primeira página deste livro.

Lá no comecinho, falamos que para nós este journal era como sentar à mesa com uma amiga (ou no caso, quatro) em uma cafeteria para bater papo. O café soltando fumaça, as canetas espalhadas, os caderninhos abertos. Como se fosse uma sessão de conversa, reflexão e aconselhamento, lembra?

E a nossa esperança é que, agora que você chegou ao final, essa também tenha sido a sua sensação. Talvez alguns momentos de nossa conversa tenham sido desconfortáveis e você tenha discordado de nós em alguns pontos. Mas ainda assim gostaríamos de perguntar: Como está o seu coração ao final deste encontro?

Oramos para que tenha sido uma bênção para sua vida e que as sementinhas lançadas no solo do seu coração nos últimos dias germinem e deem frutos no tempo certo!

Não se preocupe se não se sentir uma garota forte e corajosa de imediato. Como você sabe, no mundo real não existem fadas madrinhas nem pó de pirlimpimpim. Ainda assim, não é difícil querermos as-coisas-para-ontem, não é mesmo? Nós também nos lembramos de como parecia o fim do mundo quando as coisas não aconteciam no nosso tempo ou do nosso jeito aos 15 anos. Batíamos o pé, corríamos para o quarto e passávamos dias emburradas.

Podemos contar um segredinho? À medida que crescer, você vai perceber que o tempo nem sempre é um inimigo. Na verdade, ele pode ser um bom aliado, principalmente em nossa caminhada cristã.

Não sei se você já notou, mas Deus não é imediatista. Ele parece amar trabalhar sem pressa e fazer uso de muitos processos. É nos processos que Deus nos molda.

José passou treze anos no Egito antes de se tornar governador.

Rute passou dias de necessidade servindo sua sogra antes de ser resgatada por Boaz.

Davi levou vinte anos para se tornar rei de Israel.

Maria teve de gerar um bebezinho por nove meses.

Jesus teve uma vida simples e comum antes de dar início ao seu ministério, aos trinta anos de idade.

Tempo. Eis um bom ingrediente nas mãos do Criador.

Caminhar com coragem leva tempo. É uma jornada para a vida toda. Mas não se preocupe! Você não está sozinha nessa. O Aba nos deixou um mapa com instruções claras, quer ver?

A Maria contou um pouquinho da história de Josué. Ele precisava de *muita* força e coragem para assumir o lugar de Moisés e conduzir os israelitas até a terra prometida (e, você sabe, eles não eram nada fáceis de lidar...). Deus não estalou os dedos e derramou sobre o novo líder hebreu aquilo de que ele precisava. O Senhor apontou o caminho:

> Seja forte e corajoso, pois você conduzirá este povo para tomar posse da terra que jurei dar a seus antepassados. Seja somente forte e muito corajoso. Tenha o cuidado de cumprir toda a lei que meu servo Moisés lhe ordenou. Não se desvie dela nem para um lado nem para o outro. Assim você será bem-sucedido em tudo que fizer. Relembre continuamente os termos deste Livro da Lei. Medite nele dia e noite, para ter certeza de cumprir tudo que nele está escrito. Então você prosperará e terá sucesso em tudo que fizer. Esta é minha ordem: Seja forte e corajoso! Não tenha medo nem desanime, pois o Senhor, seu Deus, estará com você por onde você andar.
>
> **Josué 1.6-9**

Por vezes, cometemos o erro de ler apenas o verso 9, perdendo o conselho valioso que o Senhor nos dá acerca de onde encontrar a Dona Coragem. Ela não surgirá do nada. Não saltará deste livro (ou de qualquer outro). Não encontrará você qualquer dia desses e ficará para sempre.

A coragem é adquirida diariamente, em uma vida de comunhão e intimidade com o Senhor. Ele nos deixou estas instruções:

◇ Conheça as Sagradas Escrituras (Josué 1.8): leia, medite e pratique.
◇ Obedeça ao Senhor (Josué 1.7): ande de acordo com a Palavra.
◇ Lembre-se, diariamente, de que o Senhor está com você: assim como ele prometeu não abandonar Josué, ele não nos abandona.

Esse é o caminho mais seguro que você pode trilhar. É por meio dele que encontrará coragem para amar o Senhor de todo coração, ver a si mesma como ele a vê, ser mais intencional em seus relacionamentos, guardar seu coração, abraçar seu propósito e perseverar diante dos desafios da vida. Escreva esse mapa em seu coração e se deixe ser guiada por ele diariamente.

Você se lembra do final de "Cores da Liberdade", em *Corajosas 2*? Rachel nas alturas, finalmente realizando seu sonho de voar de balão? Ao olhar para toda aquela imensidão à sua volta, ela se lembrou de Poliana, sua pequena amiga que havia vivido uma vida que valeu a pena, pois tinha os olhos em seu Criador. Inspirada em Poli, Rachel decidiu fazer uma espécie de tratado de vida, para que cada vez que se visse tentada a esquecer *para* e *de* Quem era sua vida, ela pudesse ler e ter as coisas ajeitadas no lugar de novo.

Gostaríamos de convidar você a fazer o mesmo agora (Espera aí, você já tinha guardado as canetas? Pode tirá-las do estojo outra vez...). Com base em tudo o que leu neste journal e nas reflexões geradas pela leitura, que tal construir o seu próprio tratado de vida?

Você pode folhear as páginas outra vez, revisitar suas anotações, colocar para tocar alguma das músicas que indicamos ao longo do livro e, por fim, orar. Peça ao Senhor que a direcione na vida que ele quer para você e escreva aqui ao lado suas conclusões.

Tratado de vida da ....

....
....
....
....
....
....
....
....
....
....
....
....
....
....
....
....
....
....

....
local e data

....
assinatura

Checklist da Corajosa

Toda vez que você sentir que está se esquecendo das lições preciosas aprendidas ao lado de nossas princesas, volte a este checklist e peça ao Espírito Santo ajuda para não só reescrevê-las em seu coração, mas também para colocá-las em prática. Combinado?

1. Quando pecar, não se esqueça de que o sangue de Jesus é suficiente para purificá-la de todo pecado e injustiça. Se você entregou seu coração verdadeiramente a Cristo, você é filha do Senhor. E ele nunca rejeitará sua filha. Pelo contrário, ele é quem pode ajudá-la a não viver aprisionada pelo pecado. Ele é quem a faz de fato livre!

2. Você não é o que sente ou o que dizem por aí a seu respeito. Você é quem Deus diz que você é: uma filha amada, preciosa, perdoada, redimida, corajosa!

3. Seu coração é o que você tem de mais precioso. Proteja-o enchendo-o da Palavra de Deus. Não se deixe guiar por desejos e vontades, mas pelo Espírito Santo. Que o Senhor reine soberano sobre sua vida. Que ele seja o que você mais deseja. Estabeleça prioridades e viva com equilíbrio e leveza.

4. Você não precisa se apoiar em sentimentos e emoções para descobrir seu propósito. Não se trata de sentir, mas de acreditar que um Deus soberano e poderoso criou você com um propósito, que é viver para ele em tudo!

5. Sua beleza não está nas maquiagens, adereços e roupas que você usa. Está no coração, demonstrada em um espírito dócil, tranquilo, equilibrado e cada vez mais parecido com Jesus. No fim das contas, isso é o que realmente tem valor para Deus.

6. As mãos que sustentam o universo são as mesmas que seguram você. Seja nos dias bons, seja nos dias maus, lembre-se de que você está

sendo cuidada nos mínimos detalhes por um Pai bom e fiel. E não existe lugar mais seguro para estar do que nas mãos dele.

7. Lidar com pessoas difíceis não é fácil, mas você também é difícil. Siga a ordem do Senhor de amá-lo acima de todas as coisas e de amar o seu próximo como a si mesma. Seja um bom exemplo em casa, na escola e onde quer que for. Que as pessoas vejam Jesus através da sua vida. Seja uma boa amiga para os outros. Não tenha pressa pelo romance. Dedique esta estação da vida para florescer em Cristo.

8. Perseverar é uma jornada compartilhada com Deus. Lembre-se que é sobre continuidade, não circunstância. Deus usa as situações difíceis da sua vida para deixar você mais forte. Mas não há outro jeito de ficar firme a não ser ficar pertinho do Pai amado. E ele estará com você em cada passo da jornada.

Pílulas de coragem

Amizade
Provérbios 17.17
Provérbios 27.6,9
Eclesiastes 4.9-12
Romanos 12.10
Colossenses 3.12-17

Ansiedade
Salmos 94.17-19
Eclesiastes 2.22-25
Lucas 12.22-34
Filipenses 4.4-9
Hebreus 13.5-6

Beleza
1Samuel 16.7
Provérbios 11.22
Provérbios 31.30
1Pedro 3.3-4
1Timóteo 2.9-10

Coração
Salmos 19.14
Salmos 119.10-11
Provérbios 3.3-7
Provérbios 4.23
Jeremias 29.11-14

Identidade
João 1.12-13
Romanos 8.15-17
Gálatas 3.26-27
Efésios 1.3-10
1João 3.1

Leitura da Bíblia
Neemias 8.1-6
Salmos 1.2
2Timóteo 3.14-17
Hebreus 4.12
Tiago 1.19-27

Morte
Salmos 116.15-16
Isaías 57.1-2
João 12.23-26
Romanos 6.1-23
1Coríntios 15.1-58

Paz
Números 6.24-26
Isaías 9.2-7
João 14.25-27
Efésios 2.14-18
Filipenses 4.4-9

Perseverança
Josué 1.9
Romanos 5.3-4
2Tessalonicenses 3.5
Hebreus 10.36
Tiago 1.3

Propósito
Provérbios 19.21
1Coríntios 10.31
Efésios 2.10
Colossenses 1.16
Colossenses 3.17

Salvação
Lucas 19.10
João 1.12
Romanos 6.23
Romanos 10.9
Efésios 2.8-9

Sofrimento
Salmos 77
Romanos 8.18
2Coríntios 4.16-18
Tiago 1.2-3
1Pedro 4.12-19

Agradecimentos

Escrever um livro nunca é tarefa fácil. Desenvolver este journal, em especial, foi mais trabalhoso do que poderíamos imaginar. Custou horas debruçadas sobre a Bíblia, livros de vida cristã, teologia, muita oração e conversas. Por vezes olhávamos para um arquivo em branco onde as palavras se recusavam a nascer e pensávamos: "Meu Deus, será que vamos dar conta do recado?". Mas, no final, pudemos perceber mais uma vez como a mão do Pai nunca nos desampara.

Enfrentamos algumas dificuldades enquanto escrevíamos, mas mantivemos os olhos no propósito e perseveramos na missão. Vimos Deus usar este projeto para nos lapidar — e como fomos edificadas ao construir este journal! Esperamos que ele tenha sido um bom companheiro para você, Corajosa. Não deixe de nos escrever após terminar a leitura. Vamos amar saber o que Deus ministrou ao seu coração por meio deste livro. Combinado?

Somos tão gratas ao Senhor, que nos escolheu, nos chamou e nos confiou este ministério. É lindo e gratificante ver o que ele tem feito na vida de tantas meninas através do Corajosas. Obrigada, Aba, pelo privilégio de te servir por meio da escrita.

Agradecemos à nossa querida editora Mundo Cristão, por abraçar o propósito de nossos livros e fazê-los voar pelo Brasil afora. Um super obrigado ao nosso editor Daniel Faria, que nos auxilia e dá ânimo. Você é o melhor editor que poderíamos ter. Obrigada por se dedicar com afinco a este livro e nos guiar por melhores caminhos ao longo da jornada. À nossa gerente comercial Talita Dantas, que acredita tanto em nosso trabalho, se emociona com Corajosas e nos leva para cima e para baixo nos eventos. À Gabi Casseta e ao Felipe Marques, por terem trabalhado incansavelmente na diagramação deste journal e tornado o livro lindo. À Natália Custódio e toda a equipe de comunicação, e também a toda a equipe de vendas. Vocês são incríveis. Obrigada por acreditarem em nosso ministério e levarem nossos livros mais longe.

E, agora, não podemos deixar de agradecer à nossa querida coautora Thaís Oliveira. Ela, que se debruçou tanto sobre esse projeto, nos ajudou com os textos, desenvolveu toda a ideia da diagramação e gastou tantas horas preciosas de seu tempo ao pensar em detalhes deste journal. Obrigada por se dedicar com tanto amor e zelo ao ministério Corajosas. Você é incrível e amamos você e tudo o que Deus faz através de sua vida, amiga.

Às nossas leitoras tão amadas que nos acompanham em mais um livro, obrigada! Escrevemos para o Senhor, em primeiro lugar, e para vocês. Não só amamos servi-las através da escrita, mas também amamos fazer parte um pouquinho de quem vocês estão se tornando em Jesus. E, se Deus nos permitir, continuaremos a escrever muito para vocês. Nos vemos, ou nos lemos, em um próximo livro.

Amamos vocês!

Com carinho,

As autoras

Sobre as autoras

Arlene Diniz é formada em Serviço Social, pós-graduada em Missão Urbana e escreve livros com o objetivo de espalhar o amor e a Palavra de Deus, e também de encorajar pessoas, principalmente adolescentes, a verem a vida por uma perspectiva diferente. Escreve em blogs desde os quinze anos, e há quase uma década tem desenvolvido trabalhos voltados para adolescentes. Mora em Paraty, no Rio de Janeiro, com seu marido, Hugo, e a filhinha deles, Melinda. É autora de *No final daquele dia*, publicado em 2024 pela Mundo Cristão, e também de outros livros de ficção cristã juvenil. Viagens com a família, dias nublados, brigadeiro de panela e fazer nada com os amigos estão entre suas coisas preferidas do mundo.

Queren Ane é carioca, cristã, casada e mãe de dois meninos lindos. É leitora voraz e apaixonada por contar histórias. Seus livros têm abençoado a vida de centenas de jovens. Como autora, já participou de antologias de ficção cristã, poesia e devocionais. Pela Mundo Cristão, publicou em 2024 a obra *Meu sol de primavera*. Mora no Rio de Janeiro com o marido e os dois filhos e serve em sua igreja local, ensinando crianças e juniores.

Maria S. Araújo é nordestina com orgulho, formada em Pedagogia e missionária em tempo integral. Ama servir e participar do que Deus já está fazendo. Sua paixão pela leitura a levou a escrever seu primeiro livro de ficção cristã, lançado em 2016. Tem participação em antologias e um devocional para garotas. Acredita que é necessário viver, não apenas existir, pois Deus é o autor da sua história. Atualmente, serve como missionária na Califórnia, nos Estados Unidos, ministrando para adolescentes e jovens.

Thaís Oliveira é uma capixaba que tem utilizado as palavras e as redes sociais para compartilhar com o maior número possível de garotas o quanto Deus as ama e quem elas realmente são aos olhos dele. Criadora do ministério on-line Princesas Adoradoras Oficial, Thaís tem escrito sobre identidade, paternidade divina e vida cristã, sempre cercada por xícaras de café, livros e fofurices. É autora de *Uma aventura a dois*, publicado em 2024 pela Mundo Cristão, entre outros livros. É formada em História e mestre em Educação Básica e Formação de Professores.

Se os livros do ministério Corajosas tocaram o seu coração, nos deixe saber.
Compartilhe suas impressões de leitura escrevendo para:

corajosas.contato@gmail.com

Conheça as obras que inspiraram este journal

Surpreenda-se com as aventuras e desventuras de oito princesas da vida real que lhe mostrarão que é possível encontrar contentamento apesar das dificuldades que inevitavelmente surgirão ao longo do caminho. Deus é o roteirista de sua vida! Compreender essa verdade fará você seguir em frente com confiança e coragem, na certeza de que nada é por acaso e que os planos do Rei são maiores que os seus.

Compartilhe suas impressões de leitura,
mencionando o título da obra, pelo e-mail
opiniao-do-leitor@mundocristao.com.br
ou por nossas redes sociais

Esta obra foi composta com tipografia EB Garamond
e impressa em papel Offset 90 g/m² na gráfica Ipsis